BERLITZ®

LA JAMAÏQUE

Copyright © 1994, 1993, 1991, 1981 by Berlitz Publishing Co. Ltd., Berlitz House, Peterley Road, Oxford OX4 2TX, England.

Tous droits, en particulier de reproduction, de diffusion et de traduction, réservés. Sans autorisation écrite de l'éditeur, il est interdit de reproduire cet ouvrage, même partiellement, d'en faire des copies ou de le retransmettre par quelque moyen que ce soit, électronique ou mécanique (photocopie, microfilm, enregistrement sonore ou visuel, banque de données ou tout autre système de reproduction ou de transmission).

Marque Berlitz déposée auprès d'U.S. Patent Office et dans d'autres pays –
Marca Registrada.

Printed in Switzerland by Weber S.A., Bienne.

8e édition (1994/1995)

Comment se servir de ce guide

- Tous les renseignements et conseils utiles avant et pendant votre voyage sont regroupés à partir de la page 105. Le sommaire des *Informations pratiques* (pp. 109–128) se trouve en page 2 de couverture.

- *La Jamaïque et les Jamaïquains,* page 6, décrit une ambiance et vous donne une idée générale sur cette île. Pour en savoir plus, parcourez *Un peu d'histoire* (pp. 12–18).

- Les sites et monuments à découvrir sont exposés de la page 19 à la page 47. Les curiosités à voir absolument, choisies selon nos propres critères, vous sont signalées par le petit symbole Berlitz. De la page 48 à la page 60, nous vous donnons toutes sortes d'informations utiles sur la Jamaïque.

- Haïti, la République dominicaine et les îles Caïmans font l'objet de chapitres particuliers, chacun se concluant par une section consacrée à un certain nombre de renseignements pratiques. Ces destinations occupent respectivement les pages 60 à 85, 86 à 98 et 99 à 104.

- Un index (pp. 126–128), enfin, vous permettra de repérer immédiatement tout ce que vous recherchez.

Bien que l'exactitude des informations rassemblées dans le présent guide ait été soigneusement vérifiée, elle n'en est pas moins subordonnée à des fluctuations temporelles. Aussi ne saurions-nous assumer de responsabilité pour des modifications de faits, d'adresses, de prix et d'autres éléments sujets à variations. Nos guides étant remis à jour régulièrement, nous examinons volontiers toutes les remarques dont nos lecteurs voudraient bien nous faire part.

Texte établi par Catherine McLeod
Adaptation française: Jacques Schmitt
Photographie: Jürg Donatsch
Maquette: Doris Haldemann
Nous remercions le ministère du Tourisme de la Jamaïque de son aide précieuse. Nos remerciements vont aussi à l'Office National du Tourisme et des Relations Publiques d'Haïti ainsi qu'au Centre dominicain d'information touristique.
Cartographie: ● Falk-Verlag, Hambourg.

Table des matières

La Jamaïque et les Jamaïquains

«C'est l'île la plus belle qu'on ait jamais vue». Ainsi fut définie la Jamaïque par Christophe Colomb, ancêtre des touristes dans cette partie du monde et grand connaisseur en matière d'îles. De retour à la cour d'Espagne, il froissa un morceau de parchemin pour montrer concrètement à quoi elle ressemblait.

Affectant plus ou moins la forme d'une tortue nageant dans la direction de l'ouest, la Jamaïque se dresse à 950 km au sud-est de Miami et à 145 km de Cuba. C'est une île étendue – la troisième des Grandes Antilles par la superficie –, qui mesure 235 km de long et 82 km dans sa plus grande largeur.

La végétation, la géographie et le climat de la Jamaïque sont très variés. A Mandeville, dans les collines,

on supporte une couverture la nuit. La côte orientale, généreusement arrosée, s'orne de luxuriantes frondaisons aux allures de jungle qui forment l'un des plus beaux panoramas de l'île. Les montagnes Bleues *(Blue Mountains)* – dont 4 sommets dépassent 1900 m d'altitude – constituent «l'épine dorsale» de la Jamaïque. Il leur arrive souvent d'être embrumées et bleues. Dans la plaine centrale, Cockpit Country propose d'étranges paysages aux formes curieuses sculptées dans le calcaire par la pluie. Quant au littoral septentrional, il s'ourle d'une succession de plages splendides.

L'île vibre de couleurs, de parfums, de bruits et de légendes. Le majestueux palmier et l'omniprésent cocotier, le plus souvent de la variété naine à

Devon House, l'un des témoins du passé de la jeune Jamaïque.

l'aspect trapu, s'y côtoient. Il y croît des orchidées à profusion, des poincianes vermillon, des *poui* aux fleurs d'un jaune lumineux et de flamboyantes poinsetties. Les fleurs bigarrées de l'hibiscus atteignent la taille d'une soucoupe et les bambous forment de véritables cathédrales. Sans parler des tendres nids de fougères, des arbres à pain et des banyans – ces derniers étant généralement hantés par les *duppies,* ou fantômes... La Jamaïque possède, en effet, plus que son lot de superstitions!

Toute cette flore résonne du gazouillis de quelque 200 espèces d'oiseaux – une gamme qui va du chant strident du *kling-kling* au bourdonnement de l'oiseau-mouche –, sans oublier le coassement des lézards et le sifflement des grenouilles arboricoles.

Les Indiens arawaks, premiers occupants de la Jamaïque, nommaient l'île *Xamayaca,* la «terre du bois et de l'eau». Les Espagnols, apparus au XVIe siècle, exterminèrent les indigènes et laissèrent peu de traces de leur passage. Les Anglais, en revanche, léguèrent au pays quelques «grandes maisons», qui ne sont pas toutes de vastes proportions, car les propriétaires des plantations vivaient la plupart du temps en Angleterre. Vous constaterez également que beaucoup de noms de lieux – Falmouth, Cambridge, Bath, Warwick et Newport – sont anglais.

La langue aussi est anglaise, mais, entre eux, les autochtones sont enclins à employer le dialecte, riche mélange d'anglais, d'espagnol et d'africain, pratiquement incompréhensible pour le profane.

Leur tempérament pousse les Jamaïquains à temporiser, à exagérer, à dramatiser et à perdre le sens de la mesure. Ils sont doués d'une franchise déconcertante et d'un sens de l'humour extraordinaire, irrespectueux et portés à la prolixité, car ils appartiennent à une race qui s'exprime surtout verbalement.

Pour apprécier réellement votre séjour, l'essentiel est de comprendre le caractère des insulaires. Peuple fier et digne – leur pays a cessé de dépendre de la Grande-Bretagne depuis 1962 –, les Jamaïquains détestent et rejettent tout ce qui peut leur rappeler l'asservissement. Vous aurez pourtant

8

Et il faut une année pour produire un seul régime de bananes...

toutes les chances d'être accepté si, pour lier conversation, vous faites les premiers pas.

Les Jamaïquains peuvent se flatter de posséder leur propre culture, artistique, musicale et théâtrale; mais elle est de fraîche date et, si elle affecte parfois un trop grand aplomb, c'est pour compenser sa fragilité. Son originalité vient du fait qu'elle n'est ni africaine, ni américaine, ni anglaise, mais jamaïquaine.

Vous rencontrerez sur l'île toute une gamme de physionomies, allant du blond frisé aux traits négroïdes de la côte méridionale au noir absolu, en

Boston Beach: un arc de turquoise liseré de sable blanc et chaud.

passant par toutes les nuances du café au lait. Tous ces individus, cependant, ont en commun la vibrante devise de la Jamaïque : «Tous ensemble, un seul peuple».

Au chapitre de la cuisine, l'éventail s'étend du hamburger au *stamp and go* (des beignets de poisson), des plats internationaux aux *plantains* (bananes) et à l'omniprésent *rice'n peas* («riz-et-pois», dans lequel les pois sont en fait des haricots rouges). Il est probable que votre petit déjeuner

vous votre dîner d'une tasse du café corsé de Blue Mountains et d'un petit verre de Tia Maria.

La Jamaïque dispose d'une excellente infrastructure touristique. Les hôtels abondent, les villas foisonnent, les plages sont paradisiaques et tous les sports imaginables s'y pratiquent, de la plongée sous-marine et du cricket au jeu de dominos (le passe-temps préféré des Jamaïquains).

Il est facile de rayonner de la Jamaïque à travers les Antilles. Un vol de quarante minutes vous mettra à Haïti, la plus ancienne république noire du monde, d'où vous gagnerez la république Dominicaine ou le paradis fiscal que sont les îles Caïmans.

En définitive, la Jamaïque est un pays enchanteur où rien n'est plus commun que d'escalader une cascade, de descendre une rivière en radeau, de regarder les lucioles papilloter dans les vallées, de trembler délicieusement au récit des méfaits de la lascive sorcière blanche, de danser au rythme du calypso ou du reggae. Sans parler de la brise qui soupire, des palmiers qui ondoient, de la mer turquoise. Exotique, provoquante et fascinante, telle est la Jamaïque. Pas mal pour une île de 11 425 km². **11**

se composera de mangues et de *paw-paw,* qu'il vous arrivera de mâcher un bâton de canne à sucre, que vous aurez recours au jus de noix de coco pour vous désaltérer et que vous vous régalerez de lutjanide rouge ou de homard. Sans doute dégusterez-vous le fameux rhum et couronnerez-

Un peu d'histoire

Les premiers habitants de la Jamaïque furent les Indiens arawaks, probablement venus d'Amérique latine au VIIIe siècle. Peuple primitif, doux et timide, les Arawaks cultivaient la terre, s'adonnaient à la pêche et vivaient dans des huttes. Ils trouvaient en abondance de quoi se nourrir et semblent avoir été rigoureusement pacifiques. Les Arawaks n'ont laissé que peu de souvenirs de leur existence, hormis quelques mots qu'ils nous ont légués : tabac, ouragan, patate, canoë et *Xamayaca,* le nom de la Jamaïque.

L'époque espagnole

Christophe Colomb aperçut pour la première fois la Jamaïque en 1494, au cours de son second voyage au Nouveau Monde. Lors de son quatrième périple (1502–1503), son équipage et lui-même restèrent isolés pendant un an dans St. Ann's Bay, baie située sur la côte septentrionale de l'île.

Quand les Espagnols arrivèrent à la Jamaïque, les Arawaks étaient au nombre de 60 000. Lorsque les Anglais leur succédèrent, en 1655, les Indiens avaient disparu, décimés par des maladies auparavant ignorées ou exterminés par leurs nouveaux maîtres.

Le premier gouverneur espagnol de la Jamaïque, Don Juan de Esquivel, fonda une colonie à Sevilla la Nueva (à proximité de St. Ann's Bay) en l'an 1510. Le site était insalubre et les Espagnols finirent par installer leur capitale près du Río Cobre, à Santiago de la Vega. Au temps des Anglais, son nom devint simplement Spanish Town, la «ville espagnole».

Quand ils se furent aperçus qu'on ne trouvait pas d'or à la Jamaïque, les Espagnols se désintéressèrent de la contrée. Ils y plantèrent néanmoins tabac, canne à sucre et bananiers et y élevèrent du bétail. Des esclaves africains furent introduits dans l'île pour remplacer les malheureux Arawaks. Et la Jamaïque représenta essentiellement un lieu de ravitaillement pour les navires faisant voile vers de meilleures prises.

La colonisation anglaise

C'est donc en 1655 que les Anglais prirent la Jamaïque. Olivier Cromwell, jaloux de la puissance espagnole aux Indes occidentales, décida d'envoyer une expédition pour s'emparer de l'île d'Hispaniola (aujourd'hui partagée entre

Haïti et la république Dominicaine). L'opération se solda par un désastre. Pour sauver les apparences, les débris de la flotte mirent le cap sur la Jamaïque.

Les Anglais touchèrent terre le 10 mai 1655, à l'emplacement de l'actuel port de Kingston. Les Espagnols se rendirent presque immédiatement; la plupart prirent la fuite et se réfugièrent à Cuba, tandis que les autres, peu nombreux, finissaient par se soumettre, au terme de cinq années de guérilla. Le traité de Madrid (1670) entérina officiellement les prétentions de l'Angleterre sur la Jamaïque.

Les Anglais, cependant, n'étaient pas au bout de leurs peines. D'anciens esclaves, qui avaient pris le maquis dans des régions inaccessibles, les harcelèrent pendant de nombreuses années. Connus sous le nom de «Nègres marrons» (du mot espagnol *cimarrón* qui signifie «indompté»), ils ne furent jamais vaincus. Les Anglais finirent par signer avec eux un traité leur garantissant un certain nombre de privilèges et de libertés, dont leurs descendants (qui occupent Cockpit Country et les montagnes orientales) jouissent encore.

La Jamaïque allait devenir le joyau des possessions anglaises de la région, fondant sa première source de richesse sur la piraterie. Installés à l'origine dans la région nord-ouest de l'île d'Hispaniola, les boucaniers commencèrent par gagner leur vie d'une manière relativement honnête: ils vendaient porcs et bœufs sauvages **13** aux Espagnols. De fait, le mot «boucanier» provient du vocable *boucan,* qui désigne le gril de bois dont ils se servaient pour fumer la viande. Mais ils ne tardèrent pas à se rendre compte qu'un butin offrait plus de bénéfices qu'un bœuf et ils se lancèrent, sur des navires capturés, à l'assaut des gallions espagnols qui rentraient chez eux chargés de pierres et de métaux précieux.

Les boucaniers finirent par s'associer et ils accrurent leur arsenal et leur flotte. Les parcimonieux gouvernements européens n'étaient que trop heureux de se servir d'eux, les encourageant à semer la terreur parmi les flottes des autres nations et à razzier leurs comptoirs.

Mais, en 1692, le fameux repaire de Port Royal, qui passait pour «le plus abomi-

Le roi des pirates

Henry Morgan fut le roi sans couronne des «Frères de la côte». Il installa son quartier général à Port Royal et le gouverneur de la Jamaïque lui accorda une commission l'autorisant à attaquer les navires espagnols. Ce à quoi il s'adonna avec succès. Mais, quand le traité de Madrid eut entériné les prétentions de l'Angleterre sur la Jamaïque, Morgan perdit tout motif légitime de harceler les Espagnols.

Jugé à Londres pour piraterie, il argua de mobiles patriotiques et fut acquitté. Qui plus est, il fut fait chevalier et revint à la Jamaïque muni du titre de gouverneur. Sur quoi, l'ex-boucanier retourna sa veste sans remords et s'acharna sur ses anciens collègues avec toute la rigueur d'un pêcheur repenti. Henry Morgan mourut dans son lit, en 1688, et eut droit à des funérailles officielles!

nable endroit de la chrétienté», fut détruit par un gigantesque tremblement de terre. L'île n'était pas encore remise de ce choc, qu'elle dut repousser une attaque des Français. De nombreux forts furent alors érigés pour protéger l'île contre les continuelles menaces des Français, aussi bien que des Espagnols.

Nelson et le terrible Henry Morgan ont tous deux marqué le fort Charles.

Sucre et esclavage

L'histoire du sucre se caractérise par un asservissement brutal, allié à la cruauté et à la cupidité. Elle a dominé la Jamaïque durant tout le XVIIIe siècle. Les premiers colons exploitèrent l'indigo, le tabac et le cacao, mais seul le sucre allait leur permettre de faire fortune. Pour mettre en valeur les vastes plantations, ils importèrent des esclaves noirs d'Afrique. En 1785, la Jamaïque comptait

250 000 esclaves, soit dix fois plus que l'effectif de la population blanche.

Les esclaves étaient encouragés à procréer, mais la dispersion des familles était systématiquement pratiquée. Cette situation a aujourd'hui encore des répercussions sur l'île, où le taux d'illégitimité demeure très important; les enfants sont fréquemment élevés par les femmes et la société se caractérise par une population féminine énergique et indépendante. Les affranchis, fruits des unions entre Blancs et femmes noires, formaient une classe à part. A l'intérieur de la société européenne, également, existait une classe particulière, celle des contremaîtres et des comptables. Ces derniers étaient surchargés de travail et mal payés. La situation était aggravée par l'absentéisme de beaucoup de planteurs, qui préféraient vivre dans le luxe en Angleterre.

La perspective d'un soulèvement d'esclaves entretenait une peur constante. De nombreuses révoltes éclatèrent (la plus importante étant celle de 1831), qui furent toujours matées avec une extrême cruauté. Les missionnaires qui soutenaient la cause des esclaves furent également victimes d'actes de terrorisme.

L'émancipation

L'esclavage fut enfin aboli en 1834 par un acte du Parlement. Cependant, il fallut attendre quatre ans avant que l'émancipation totale ne soit réalisée. Les esclaves libérés quittèrent les plantations au plus vite pour aller occuper des lopins de terre en friche ou s'installer dans des villages.

La révolte de Morant Bay éclata en 1865. Cette maladroite tentative traduisait la volonté des esclaves libérés d'obtenir justice. Ils n'avaient pratiquement pas voix au chapitre et la sécheresse avait aggravé leurs conditions d'existence déjà précaires. Le gouvernement britannique avait ignoré toutes leurs requêtes. Paul Bogle entraîna alors une bande d'esclaves libérés jusqu'au tribunal de Morant Bay auquel, devant la résistance rencontrée, il mit le feu. Seize personnes périrent au cours de cette échauffourée. Une fois de plus, les représailles furent promptes et injustes. Plus de 400 personnes – dont Bogle et William Gordon, aussi de race noire, membre éminent de l'Assemblée – furent fusillées ou pendues.

L'industrie du sucre demeure une des premières ressources du pays.

La Grande-Bretagne elle-même protesta contre l'inhumanité de ce châtiment. Le gouverneur, Edward Eyre, fut immédiatement destitué.

Vers la fin du XIXe siècle, le développement du commerce des bananes relança l'économie chancelante de l'île, car les beaux jours de l'industrie sucrière étaient depuis longtemps révolus.

Vers l'indépendance

A une époque plus récente, la dépression des années 1930 s'abattit sur un pays économiquement arriéré, au gouvernement colonial sans représentativité. Par les émeutes de 1938, les Noirs exprimèrent leur mécontentement face à l'insuffisance des salaires et au statut de colonisés qui était le leur. Alexander Bustamante, importante figure du mouvement syndicaliste, et Norman Washington Manley, le plus grand avocat de l'île, deux fortes personnalités jamaïquaines, luttèrent efficacement pour l'indépendance.

En 1944, les Anglais octroyèrent à l'île une nouvelle constitution, fondée sur le suffrage universel des adultes; le nombre des inscrits passa de 20 000 à plus de 650 000! L'indépendance fut proclamée le 6 août 1962.

La Jamaïque continue à faire partie du Commonwealth britannique. Un gouverneur général y représente la Couronne et le système parlementaire comporte un Sénat nommé et une Chambre des représentants élue. Le principal instrument du gouvernement est le Cabinet, ayant à sa tête le Premier ministre.

Le sucre est toujours une des principales sources de revenus de l'île, qui est aussi l'un des premiers producteurs de bauxite du monde. L'industrie légère a reçu des encouragements et le tourisme croît.

Le théâtre, la peinture, la sculpture, la danse et la littérature sont en plein épanouissement et la musique reggae fait fureur dans le monde entier. Bien que les Jamaïquains se tournent encore vers les Etats-Unis ou la Grande-Bretagne pour parfaire leur éducation, ils nourrissent de plus en plus le sentiment que leur avenir se situe chez eux.

Où aller

Kingston

(750 000 habitants)

Bien que dépourvue de charme et de beauté, la ville de Kingston correspond assez à l'idée qu'on se fait d'un port antillais – populeux, trépidant, parfois violent et mêlant à une misère voyante les témoignages de l'avidité des riches. Peut-être n'aurez-vous pas envie de vous y attarder, mais vous ne sauriez l'ignorer si vous tenez à comprendre la Jamaïque.

La ville a été fondée au XVIIe siècle, après que la presque totalité de l'ancienne capitale, Port Royal, eut été engloutie par les flots, à la suite d'un tremblement de terre (dans lequel certains voulurent voir la main de Dieu). En 1872, le siège du gouvernement, précédemment établi à Spanish Town, y fut transféré. En 1907, un nouveau séisme détruisit une bonne partie de la cité.

Kingston se divise en deux secteurs: la ville basse – vieux Kingston –, où un reflet de la topographie urbaine initiale est encore perceptible, et le haut Kingston, édifié sur un terrain qui s'élève en direction des contreforts frais et aérés des montagnes Bleues.

New Kingston

New Kingston est un ensemble moderne d'hôtels, de banques, de bureaux et de boutiques aménagé au sein de la ville haute. Certaines des plus ravissantes demeures de la ville sont situées dans le voisinage. Construites dans le style

En partie détruite en 1907, Kingston dresse fièrement ses buildings. **19**

colonial, elles offrent aux regards de larges vérandas et une ornementation en bois sculpté. Planchers et plafonds sont généralement réalisés en acajou jamaïquain.

En empruntant Hope Road en direction de l'est, vous en rencontrerez l'un des plus beaux exemples, **Devon House,** ouverte au public tous les jours. L'ameublement de cette demeure rappelle les différentes époques de l'histoire de la Jamaïque. Des visites guidées ont lieu régulièrement.

Construite en 1881 par George Stiebel, l'un des premiers millionnaires noirs des Antilles, la maison est passée entre les mains de certaines des plus illustres familles de l'île. Le gouvernement en a fait l'acquisition en 1964.

Les communs ont été transformés en boutiques d'artisanat; on y trouve aussi une boulangerie de l'époque coloniale, deux restaurants et un bar. L'envie vous prendra peut-être de goûter d'exellentes glaces, ou de tâter de la Devon Duppy, une redoutable mixture alcoolisée.

Half-Way Tree est le nom d'un important carrefour. Nul ne sait plus à mi-chemin de quoi il se trouvait, mais l'arbre en question était un énorme fromager. La pluie ayant ra-

viné le sol autour de ses racines, l'endroit a fini par former une halte commode pour les habitants des montagnes Bleues qui se rendaient au marché avec leurs produits.

A proximité se dresse St. Andrew (église Saint-André), édifiée au XVIIe siècle, et jadis la plus fréquentée de la ville. Elle a depuis été entièrement restaurée et transformée.

Une balade vers l'est, le long de Hope Road et de Old Hope Road, vous conduira aux **Hope Botanical Gardens,** le Jardin botanique le plus étendu des Antilles (80 ha). Les serres méritent une visite.

University of the West Indies (Université des Indes occidentales) est située à proximité. Fondée en 1948, elle comptait alors 33 étudiants. Ils sont maintenant des milliers sur le campus, lequel occupe le site des plantations sucrières de Mona et de Papine.

La ville basse

Celle-ci est plus bruyante et plus animée que la ville haute. Il est préférable de ne pas s'aventurer dans certaines rues, et le quartier est à éviter de nuit, même si un gros effort de rénovation y est consenti. De larges boulevards, des gratte-ciel et le Conference Centre y ont vu le jour.

La **National Gallery** (Galerie nationale) de la Jamaïque est logée dans le Roy West Building, sur le côté du front de mer de Kingston Mall. On y trouve des œuvres d'Albert Huie, d'Alvin Marriott et d'Edna Manley, tous représentants éminents de l'art jamaïquain. Le sculpteur Edna Manley, auteur d'un magnifique *Nègre debout* (1939), d'une grande noblesse, était la femme du premier chef de gouvernement du pays, Norman Manley, et mère d'un autre Premier ministre, Michael Manley. Egalement exposée: une statue controversée de Bob Marley.

Ne manquez pas non plus les centres d'intérêt suivants:

Le long du côté occidental de Harbour Street s'étend Victoria Pier (quai Victoria), où s'est installé le Kingston's **Craft Market,** bazar qui occupe un grand bâtiment moderne. C'est ici qu'il faut venir chercher vannerie, ob-

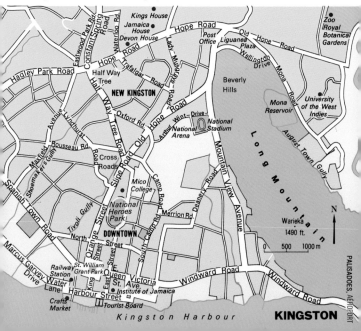

jets sculptés, broderies et tissages de paille.

Les petits «taxis aquatiques» qui desservent la cité historique de Port Royal partent de Victoria Pier le matin.

Institute of Jamaica, proche de Harbour Street, renferme la plus belle collection de livres et de journaux des Indes occidentales. Au nombre des documents conservés figure le «journal du Requin» *(Shark Papers).* En 1799, un trois-mâts barque américain, le *Nancy,* qui s'adonnait avec profit à la contrebande, fut arraisonné par un navire britannique. Le capitaine améri-

cain jeta son livre de bord à la mer et lui en substitua un faux. Quelques milles plus loin, un officier qui pêchait du haut d'un autre bâtiment anglais ferra un requin. Quand on l'ouvrit, on découvrit à l'intérieur le livre de bord accusateur, qui entraîna la condamnation du capitaine et des armateurs du *Nancy.*

St. William Grant Park, jadis le cœur de Kingston, est délimité par quatre rues, prosaïquement dénommées North, South, East et West Parade.

Ward Theatre, théâtre situé sur North Parade, retrouve toute sa splendeur à Noël grâce à la magie du fameux

spectacle de pantomime de Kingston.

Kingston Parish Church (église paroissiale de Kingston), sur South Parade, justifie une visite. Le bâtiment initial, construit en brique en 1699, fut détruit lors du tremblement de terre de 1907, mais l'édifice actuel abrite, entre autres, trois monuments dus à John Bacon, remarquable sculpteur anglais du XVIIIe siècle.

Quelques oiseaux de la Jamaïque

Une vieille chanson populaire jamaïquaine parlant des oiseaux dit que «ceux-ci hurlent et ceux-là braillent». Le *klingkling* ne fait ni l'un ni l'autre, mais il émet un sifflement perçant. Noir comme jais, il s'appelle en réalité le grand ménate antillais.

L'urubu est surnommé ici John Crow, vraisemblablement du nom d'un pasteur impopulaire dont la tête chauve, rougie par les coups de soleil, était emmanchée d'un cou formidablement long.

L'oiseau-hameçon, un oiseau-mouche à queue fourchue, gorge verte et dos noir, possède un sens de l'effet théâtral typiquement jamaïquain, car il aime parader devant les fleurs aux couleurs vives. Il est l'emblème de la Jamaïque.

Aux environs de Kingston

Blue Mountains, les magnifiques montagnes Bleues, se dressent au nord-est de la capitale. Le meilleur itinéraire pour s'y rendre passe par PAPINE, GUAVA RIDGE et MAVIS BANK. Vous apercevrez, dans cette région propice aux randonnées, un certain nombre de maisonnettes entourées de jardins potagers – source majeure de l'approvisionnement de Kingston. La route n'est pas toujours bonne, surtout après une forte pluie. Partez de bonne heure et munissez-vous d'un chandail ainsi que de solides chaussures. En chemin, vous serez sans doute ému par la sensation de splendide isolement que l'on éprouve devant le spectacle des gorges à la végétation luxuriante, que dévoilent en s'écartant les brumes pâles des hauteurs.

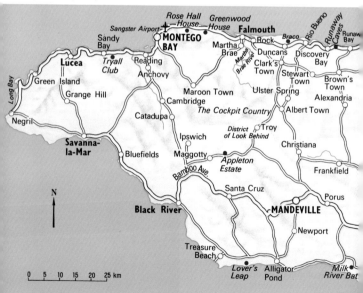

Mavis Bank est le point de départ de l'ascension du Blue Mountain Peak (2256 m), qui représente une rude étape de 3 heures. En partant à 2 h du matin, on atteindra le sommet à temps pour assister au lever du soleil. La route plus septentrionale qui se dirige vers NEWCASTLE et HARDWARD GAP mettra à votre portée la Forêt nationale de Hallywell (Hallywell National Forest), paradis des ornithologues, même en herbe.

Castleton Gardens, à 30 km au nord de Kingston, valent aussi le déplacement. Créés en 1862, ces jardins couvrent 6 ha de la Wag Water Valley et s'étendent jusqu'aux rives de la rivière. Ce parc, l'un des plus luxuriants des Antilles, propose une étonnante variété de plantes indigènes et exotiques. Prévoyez baignade et pique-nique. A voir aussi: les Cinchona Gardens, Charlottenburgh et la plantation de café de Pine Grove.

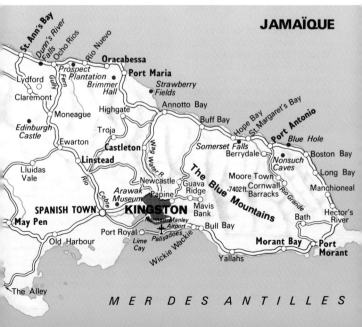

Port Royal

Deux possibilités s'offrent à vous pour rejoindre Port Royal: soit recourir à un taxi aquatique partant de Victoria Pier, soit faire le trajet en voiture en suivant Palisadoes Road. La voie terrestre contourne Long Mountain, qui se signale par une tour de guet érigée sur ses pentes et par un fort bâti à ses pieds. Rock Fort, élevé en 1694 et reconstruit en 1792, faisait partie, avec la tour, du système de défense édifié dans la crainte des Français.

Port Royal fut jadis la cité la plus pervertie du Nouveau Monde. Les pirates y faisaient ripaille, le rhum et l'argent y coulaient à flots, le plaisir y était doux et la mort souvent prompte et violente.

Les habitants, édifièrent des immeubles atteignant jusqu'à quatre étages. Les loyers y étaient aussi élevés qu'à Londres et la mode aussi élégante. Les maisons de jeu et de plaisir prospéraient. Plusieurs églises étaient destinées aux consciences bourrelées de remords; il y avait une prison et même une «maison de correction pour prostituées paresseuses».

Or, le 7 juin 1692, deux tiers de la ville s'enfoncèrent soudainement dans la mer. De violentes secousses sismiques firent plus d'un millier de victimes et un raz-de-marée finit par engloutir la cité de Port Royal... qui eut ainsi la fin qu'elle méritait.

Les diverses tentatives de reconstruction de la ville furent contrariées par un incendie en 1704, puis par une désastreuse succession d'ouragans et enfin par un nouveau tremblement de terre en 1907. Elle n'est plus aujourd'hui qu'une petite ville tranquille.

Si vous arrivez par la route, consacrez une visite à Morgan's Harbour, situé à l'intérieur du périmètre de l'ancien arsenal maritime. De là, vous pourrez apercevoir le lugubre marais salant de Gallows Point, où eut lieu pour la dernière fois en 1831, la pendaison d'un pirate.

A Port Royal même, ne manquez pas de visiter **St. Peter's Church** (église Saint-Pierre), édifiée en 1725. Elle recèle une suspension en cuivre et une splendide tribune d'orgue de facture jamaïquaine, datant du XVIIIe siècle. Pour quelques dollars, le guide vous montrera la patène. Une chope en argent et divers autres objets passent pour avoir appartenu à ce vieux chenapan d'Henry Morgan!

A l'extérieur de l'église, vous découvrirez la tombe de Louis Galdy, un Français qui, lors du fameux tremblement de terre, fut aspiré dans une crevasse béante et rejeté à la mer. Il réussit à atteindre un bateau à la nage et contribua ensuite à la reconstruction de l'église.

Le centre d'entraînement de la police renferme les ruines du fort Charles ainsi qu'un petit musée maritime, lequel est situé à l'intérieur du fort. Tous deux sont ouverts sept jours sur sept.

Construit en 1656, le **fort Charles** – le seul des six forts initiaux qui ait résisté aux multiples désastres ayant affligé Port Royal – porte le nom du roi Charles II d'Angleterre. La fortification de l'ouvrage est due à Henry Morgan. En 1779, l'amiral Nelson y exerça le commandement durant quelques semaines, dans l'attente d'une invasion française qui ne se produisit jamais. Le guide vous signalera l'endroit appelé *Nelson's Quarterdeck,* la dunette de Nelson. Il vous montrera également le *Royal Artillery Store,* l'ancien magasin royal d'artillerie, surnommé *«Giddy House»,* la maison vertigineuse, en raison de son inclinaison spectaculaire.

Naval Hospital (Hôpital naval), construit en 1819, a été rajeuni et transformé en musée, bien qu'il soit actuellement fermé à cause des dégâts causés par l'ouragan Gilbert. Le rez-de-chaussée abrite le département consacré à la restauration des objets retirés du port à proximité de Port Royal – un des sites archéologiques les plus riches du globe en témoignages du XVIIᵉ siècle. Nombre des pièces retrouvées sont exposées dans le musée.

Spanish Town

Les Espagnols l'appelaient Villa de la Vega, «la ville de la plaine». Elle resta leur capitale pendant plus de 100 ans. Quand les Anglais s'installèrent dans l'île, elle en demeura la capitale durant deux siècles encore. En 1872, le siège du gouvernement fut transféré à Kingston et le déclin de Spanish Town commença. Le secteur intéressant couvre à peine plus de 2 km², mais il déborde de charme et de souvenirs historiques.

Si vous vous y rendez par la route en venant de Kingston, arrêtez-vous en chemin au **White Marl Arawak Museum,** à 15 km de la ville. Edifié sur un ancien site arawak, il renferme quelques-uns des plus **27** importants témoignages de cette civilisation.

Spanish Town, dont la population s'élève à 40 000 habitants, s'étend sur les rives du Cobre. Il ne lui reste d'espagnol que le nom, mais la **Cathedral Church of St. James** (cathédrale Saint-Jacques) se dresse sur l'emplacement d'une chapelle espagnole démolie par les soldats d'Olivier Cromwell. L'église, bâtie par les Anglais, fut détruite par un ouragan et remplacée en 1714 par l'édifice actuel, construit principalement en brique. Le clocher, en brique et en bois, a été ajouté en 1831.

Une fois maîtres de Spanish Town, les Anglais décidèrent d'en faire une capitale digne de l'île qui passait pour le joyau des Indes occidentales. Pour marquer le centre de la ville, ils dessinèrent un gracieux square. C'est là que s'élevait la résidence du gouverneur, **King's House,** incendiée puis reconstruite de nos jours

pour abriter un musée populaire. Du côté nord du square, se dresse le **mémorial** de l'amiral George Rodney, sauveur de la Jamaïque lors de l'invasion française de 1782, dû à John Bacon. Le canon a été pris au vaisseau amiral français, *Ville de Paris*, après sa reddition.

Le côté sud de ce minuscule parc est bordé par le tribunal *(courthouse)*, construit au début du XIXᵉ siècle. L'édifice en brique et en bois, orné d'une splendide colonnade, qui se dresse à l'est, n'est autre que la **House of Assembly** (palais de l'Assemblée). Bâti au début de la seconde moitié du XVIIIᵉ siècle, ce palais fut plusieurs fois restauré et transformé. Les rues adjacentes sont piquées de quelques vieilles maisons de style georgien, fort belles.

Baptist Church (église baptiste), sise à l'angle de William Street et de French Street, fut ouverte au culte en 1827. La caserne du XVIIIᵉ siècle, située à proximité, mérite aussi une halte.

Avec ses vestiges de l'époque coloniale, Spanish Town, l'ancienne capitale de la Jamaïque, garde des airs de métropole européenne.

La Jamaïque orientale

Deux itinéraires permettent d'atteindre le littoral oriental de la Jamaïque: soit par le Nord, *via* Castleton (voir p. 25), soit par la route côtière méridionale traversant Morant Bay. (Des pluies estivales exceptionnellement abondantes pouvant compromettre le second, il est préférable de se renseigner auprès de l'office du tourisme avant de prendre la route.)

Sur l'itinéraire méridional, PALM BEACH et WICKIE WACKIE ne se recommandent guère que par leurs noms. BULL BAY et les chutes **Cane river Falls** sont situées au cœur de la région dans laquelle Jack aux Trois Doigts fit jadis régner la terreur.

Jack Mensong, de son vrai nom, était un esclave fugitif. Après avoir vainement tenté de déclencher une révolte d'esclaves, il s'enfuit dans la montagne où il prit conseil auprès d'un *obeah*, ou magicien. Armé de pouvoirs magiques irrésistibles, il se fit voleur et son nom défraya rapidement la chronique. Il perdit deux doigts en se battant contre un homme qui le poursuivait, et, **29** quand il finit par être tué en 1781, sa tête et sa main, conservées dans un seau de rhum, furent transportées à Kingston en guise de preuve, macabre mais indiscutable, par celui qui réclamait la récompense de 300 livres promise pour sa capture.

C'est à MORANT BAY, le centre d'intérêt suivant, qu'eut lieu le soulèvement de 1865, lors duquel Paul Bogle, héros national, tenta d'obtenir justice pour les esclaves libérés (voir p. 17). Le tribunal, point névralgique de la révolte, honore sa mémoire par une statue due à Edna Manley.

A Morant Bay succède PORT MORANT, situé au milieu de vastes plantations de cocotiers et de bananiers. On bifurque ici en direction de **Bath** (distant d'environ 11 km), réputé pour ses sources minérales. Officiellement dénommée Mineral Bath of St. Thomas The Apostle, cette station exploitée depuis 1699, a été très à la mode. La haute teneur radioactive de l'eau y attire toujours les rhumatisants et les gens qui souffrent de maladies de la peau.

Bath possède également un minuscule Jardin botanique, qui ressemble plutôt à un jardin municipal; mais son charme n'en est que plus grand.

Près de MANCHIONEAL, petit village de pêcheurs, se trouvent les spectaculaires chutes Reich Falls et les magnifiques plages de sable blanc de **Long Bay** et de **Boston Bay.** Ne manquez pas de goûter au porc séché *(jerk pork)*, vendu dans la région. La viande est fortement épicée avant d'être fumée en plein air sur un feu de bois de poivrier. On vous proposera peut-être aussi du poulet séché *(jerk chicken)* et des ignames rôties.

Sans quitter la côte et après avoir traversé DRAGON BAY et ses luxueuses villas, vous parviendrez en vue de **Blue Hole** (lagon Bleu). Une eau translucide du bleu d'outremer le plus intense s'étale au milieu d'une végétation vert émeraude.

Ensuite, poussez jusqu'à SAN SAN BEACH et offrez-vous la visite du parc de Frenchman's Cove, qui eut jadis la réputation d'être l'hôtel le plus cher du monde.

Port Antonio
Rafraîchi par les averses provenant des montagnes Bleues, Port Antonio, dont la population atteint 10 000 habitants,

A Blue Lagoon, tout semble organisé pour une vraie vie d'oisiveté.

est un des endroits les plus verts de l'île. C'est un des centres jamaïquains du commerce des bananes et l'un des premiers paradis touristiques, déjà recherché bien avant qu'on ne parlât de Montego Bay ou d'Ocho Rios. Ceux-ci connaissent aujourd'hui une affluence supérieure, mais Port Antonio offre en revanche une ambiance paisible et distinguée. L'endroit est également réputé pour les possibilités de pêche en mer qui s'y rencontrent, car poissons-épieu, *wahoos,* poissons-lune, albulas, albacores et dauphins s'approchent à moins d'un kilomètre de la côte.

Bercé entre les bras broussailleux de la montagne, Port Antonio est doté de deux ports superbes que sépare la péninsule de Titchfield. Sis à la pointe de cette dernière, le fort George – que l'on peut visiter – abrite maintenant les bâtiments d'une école.

Les deux ports, platement baptisés East Harbour et West Harbour (port de l'Est et port de l'Ouest) sont défendus par Navy Island, qui fut un temps la propriété d'Errol Flynn, un acteur dont les excentricités alimentent encore la chronique locale.

Folly Estate se dresse sur la rive orientale d'East Harbour.

Les faits et la légende se sont inextricablement mêlés à son sujet, mais en réalité le domaine a été acheté au début du siècle par un Américain qui y fit construire une immense demeure en béton. En 1938, le toit s'effondra par suite de la corrosion de l'armature métallique. (La légende, bien plus amusante que la réalité, veut que le propriétaire de la maison y ait amené sa femme et que la maison se soit effondrée le jour de leur arrivée.) Il n'en reste pas grand-chose aujourd'hui, sinon une histoire qui s'étoffe avec chaque nouveau touriste.

Si vous appréciez les panoramas, il vaut la peine de monter jusqu'à **Bonnie View.**

Dans l'intérieur, à 8 km de Port Antonio, se trouvent les **Nonesuch Caves.** Les grottes sont situées à Seven Hills of Athenry, une ancienne plantation de poivriers, bananiers, cocotiers et citronniers. On y aperçoit la côte et l'on jouit d'une fort belle vue sur la cime du Blue Mountain Peak. Les grottes, jadis immergées, conservent des fossiles de différentes espèces marines. La visite des grottes, bien éclairées et dotées de sentiers entretenus, s'effectue à la suite d'un guide.

Il existe deux villages de

Nègres marrons (voir p. 13) près de Port Antonio : MOORE TOWN et CORNWALL BARRACKS. Leurs communes, dotées d'un type d'administration particulier, sont dirigées par un colonel qui préside le conseil de village, ou *osufu.*

Les montagnes donnent naissance à de nombreux cours d'eau, dont le plus fameux est le **Rio Grande.** Pour assurer le transport de leurs produits, les propriétaires des grands domaines de l'île usaient habituellement de radeaux de bambou, qui leur servaient aussi à divertir famille et amis le dimanche après-midi. Aujourd'hui, la descente du Rio Grande en radeau représente l'une des attractions majeures de la Jamaïque.

Les radeaux, constitués de longues tiges de bambou, sont équipés à l'arrière d'un siège prévu pour deux personnes. Le pilote, un homme d'expérience, debout nu-pieds à l'avant, propulse l'embarcation au moyen d'une perche. Le trajet prend au total 2 h 30. On part de BERRYDALE pour débarquer à RAFTERS' REST, dans St. Margareth's Bay. On se chargera de conduire votre voiture de Berrydale jusqu'au lieu d'arrivée. Des sorties en groupe peuvent être organi-sées par l'intermédiaire des hôtels.

Vous vivrez là une expérience unique, tantôt glissant sur une eau paisible entre des berges de galets, tantôt manœuvrant à travers des rapides impétueux (mais peu profonds et sans danger) ou louvoyant sous les branches en surplomb des essences tropicales. Vous aurez tout le temps de prendre le soleil, de pique-niquer et de vous baigner à proximité de la rive. Pour les âmes romantiques, un voyage au clair de lune s'impose.

A l'ouest de St. Margareth's Bay, près de HOPE BAY, les **Somerset Falls** (chutes de Somerset) voient la rivière Daniels se précipiter, à travers une série de cascades et de bassins, jusqu'à la mer.

Après Hope Bay, la route traverse BUFF BAY, avant d'atteindre la commune d'ANNOTTO. En route, faites escale à Crystal Springs. Ce parc tropical contient une variété extraordinaire d'orchidées, et on y tient parfois des festivals de musique. Assoupie la semaine, la baie d'Annotto s'anime le samedi, jour de marché, parmi une profusion de mangues, de bananes, de *paw-paw,* de fruits de l'*ackee,* de cachiments et de bien d'autres fruits et légumes. **33**

Le littoral septentrional

Ocho Rios

La région d'Ocho Rios, qui s'étend sur près de 100 km entre Annotto et Discovery Bay, représente une des gran-des réussites touristiques de la Jamaïque. Ici, comme à Montego Bay, vous pourrez arborer vos plus ensorcelantes tenues achetées sur place : le soir, jupes longues pour les dames, costumes tropicaux pour les messieurs – et dans la journée, un seyant minimum. Non qu'à la Jamaïque on soit spécialement porté sur la toilette, mais les occasions d'achats exotiques forment un des charmes du Nord.

Peut-être la ville d'Ocho Rios tire-t-elle son nom du vocable espagnol signifiant «huit fleuves», ce qui dépasserait tout de même le nombre de voies navigables dignes de ce nom. Il est plus probable qu'il provienne d'une altération du mot *las chorreras* («chutes d'eau»), se référant aux cascades de la région.

En suivant le littoral dans la direction de l'ouest, vous traverserez PORT MARIA, principale agglomération de la paroisse de St. Mary, où s'offrent à la vue de magnifiques panoramas côtiers. L'église en brique, édifiée en bordure de mer à l'extrémité orientale du port, fut construite vers 1830, à l'intention de ses esclaves, par un planteur écossais.

Situé en retrait de Port Maria, **Brimmer Hall** est une célèbre demeure édifiée au sein d'une plantation. Vous pourrez explorer le domaine en prenant place à bord d'un «bus», composé d'un cabriolet tiré par un tracteur; l'excursion est agréable, mais mu-

nissez-vous d'un chapeau. Le tour de la plantation est effectué plusieurs fois par jour.

Grâce à leur vif sens de l'humour et à l'usage poétique et coloré qu'ils font de la langue anglaise, les Jamaïquains sont de fameux guides. Vous apprécierez sûrement leurs explications au sujet de la croissance du bananier et de la façon d'escalader un cocotier ou de porter sur la tête un régime de bananes. On ne visite pas la maison mais sur place, des boutiques, des vendeurs de boissons et une piscine sont à votre disposition.

ORACABESSA est un petit port bananier, rendu célèbre par la présence des deux illustres hommes de lettres anglais qui ont vécu dans la région. Le premier, Ian Fleming, s'est marié au bureau de l'état civil de Port Maria. Le film tiré d'un de ses livres les plus connus, *James Bond contre Dr No*, a été tourné à la Jamaïque, en partie dans l'usine de bauxite d'Ocho Rios.

Le second écrivain célèbre, Noël Coward, vécut à **Firefly**, une résidence que l'on peut visiter, bâtie sur un magnifique promontoire, face à la mer. Deux petits pianos à queue occupent le salon et de nombreux souvenirs, partitions, programmes et manuscrits de **35** l'auteur dramatique anglais, de même que ses tableaux évoquant les paysages jamaïquains, y sont réunis.

Rio Nuevo, plus à l'ouest sur la côte, fut le site de la bataille du même nom qui vit, en 1658, la défaite du gouverneur espagnol Ysassi devant les troupes britanniques.

Juste au sortir de Couples, la route bifurque en direction de **Prospect Plantation,** une exploitation spécialisée dans l'élevage du bœuf et dans la culture du limettier, que parachève un éventail complet de produits tropicaux, allant de la banane au manioc. Vous pourrez en faire le tour en «bus» comme à Brimmer Hall (voir p. 35), ou en effectuer la visite à cheval. Trois pistes agréables y ont été tracées. Un guide expérimenté vous accompagnera. Il est prudent de réserver la veille par téléphone.

La région d'Ocho Rios offre de quoi s'occuper: plongée avec bouteille, pêche en mer, golf, équitation, polo à Drax Hall et vers Chukka Cove, achats à Pineapple Place, Coconut Grove ou Ocean Village, ou tout simplement natation et bains de soleil. Mais vos vacances ne seraient pas complètes sans quelques incursions dans l'arrière-pays.

Sur 8 hectares, les **Carñosa Gardens** offrent 14 cascades, des étangs de nénuphars et une volière, bien qu'ils ne soient plus ouverts au public.

Au-delà d'Ocho Rios, obliquez à Turtle Beach en direction de l'intérieur pour gagner les **Shaw Park Gardens,** jardins qui méritent que l'on s'y attarde deux bonnes heures.

Plus loin, **Fern Gully** est un ancien lit de rivière transformé en route, qui serpente jusqu'à

plus de 200 m d'altitude sous les lianes et à l'ombre des arbres. Près de LYDFORD sont exploitées les mines de bauxite de Reynold.

Sur la route de MONEAGUE, vous dépasserez le site d'un lac intermittent, dont l'origine semble être souterraine. En 1810, il atteignit une superficie de plusieurs centaines d'hecta-res et submergea une sucrerie, mais en 1900 il avait disparu.

A l'ouest de Moneague se dressent les ruines d'**Edin-burgh Castle,** construit en 1763 par un Ecossais du nom de Lewis Hutchinson, qui affectionnait un passe-temps unique en son genre. Du haut des créneaux de son château, il tirait sur quiconque passait

Les luxueuses résidences d'Ocho Rios attirent de plus en plus de touristes; c'est une des grandes réussites de ces dernières années.

sur la route isolée et jetait ensuite les cadavres dans une fosse. Il fut jugé et condamné à être pendu. Loin de se repentir, il laissa 100 livres sterling au pied de la potence pour qu'un monument fût élevé à sa mémoire et composa même sa propre épitaphe, dont il ne fut pas fait usage.

De retour sur la côte, vous rencontrerez à l'ouest du quai minéralier de Reynold les **Dunn's River Falls,** chutes qui composent le plus joli coin de la région. L'eau dégringole en cascade jusqu'à la mer à travers toute une série de terrasses rocheuses et de bassins. Il n'est pas difficile d'escalader les chutes en suivant bien les conseils de guides expérimentés. Votre hôtel vous renseignera au sujet de la fête hebdomadaire de Dunn's River. Au programme de la soirée: danse, musique et natation si le cœur vous en dit, sans oublier une «fête» jamaïquaine.

St. Ann's Bay est le chef-lieu de la commune du même nom. Son fils le plus célèbre,

Les jours de grande chaleur, on ne peut trouver meilleur but de promenade que les Dunn's River Falls, quelques cascades rafraîchissantes.

Marcus Garvey, fut l'une des grandes figures noires de notre siècle. A l'ouest, SEVILLE, fondée en 1510 à proximité de l'endroit où Christophe Colomb jeta l'ancre (voir p. 12), fut le premier établissement espagnol de la Jamaïque. Au temps des Espagnols, la ville se nommait Sevilla Nueva. Le monument de bronze, élevé en 1957 à la mémoire du navigateur, fut coulé dans sa ville natale de Gênes.

De nombreux hôtels bordent le front de mer à l'entrée de RUNAWAY BAY d'où Ysassi, dernier gouverneur espagnol, aurait quitté l'île pour Cuba après sa retentissante défaite devant les Anglais. La baie pourrait aussi être redevable de son nom aux esclaves fugitifs qui s'y embarquaient. Quoi qu'il en soit, la tradition persiste à associer le nom d'Ysassi aux **Runaway Caves** (grottes du Fugitif), où elle veut qu'il se soit caché avant de réussir à s'enfuir. Ces grottes calcaires, utilisées à l'origine par les Indiens arawaks, servirent par la suite de repaire aux pirates ainsi qu'aux contrebandiers et de refuge aux esclaves. Elles ont été redécouvertes en 1838 et 11 km de couloirs en ont été explorés jusqu'à présent.

Green Grotto (grotte Verte), qui descend à 35 m sous terre, est une cavité voûtée qu'envahit une eau sombre. Le guide vous en fera faire le tour à bord d'une embarcation métallique. Ce lac de marée souterrain, aux eaux en partie douces et en parties salées, est peuplé d'écrevisses, de mulets et d'anguilles qui sont privés de la vue.

Le souvenir de Christophe Colomb demeure partout présent sur cette portion du littoral et DISCOVERY BAY, dont PUERTO SECO marque l'extrémité orientale, passe pour être l'endroit où le grand navigateur toucha terre. Puerto Seco signifie «port sec», car Colomb ne trouva pas d'eau douce aux environs.

Situé plus loin sur la corniche conduisant à Montego Bay, le parc de Colomb abrite des vestiges de l'ancien temps, dont une roue hydraulique et d'énorme chaudrons à sucre.

RIO BUENO, sis à la limite des communes de St. Ann et de Trelawny, revendique également l'honneur d'avoir vu débarquer Christophe Colomb (cet homme était infatigable). Cette fois, il trouva de l'eau. Tout le long du littoral, se succèdent des plages argentées, telles que BRACO et TRELAWNY, où s'étale une mer couleur turquoise.

Montego Bay

(125 000 habitants)

Seconde ville de la Jamaïque, Montego Bay tirerait son nom du mot espagnol *manteca* (graisse de porc). Les navires de passage s'approvisionnaient en graisse de porc et de bœuf à cet endroit de la côte et certains documents anciens lui attribuent même le nom de Lard Bay.

Mo' Bay, comme vous ne tarderez pas à l'appeler, fit son entrée sur la scène touristique au début du siècle, grâce à la campagne menée en faveur de la vertu tonifiante des bains de mer par un certain Dr McCatty, alors en avance sur son temps. De nos jours, l'industrie sucrière et bananière y occupe la deuxième place, derrière le tourisme.

Montego Bay se divise sans difficulté en trois secteurs : le littoral, où se rassemblent hôtels et galeries marchandes, les collines de l'intérieur et la zone urbaine.

Situé en plein centre, la **Cage,** qui date de 1807, servait de prison pour les esclaves fugitifs. Non loin de là, St. James, l'église paroissiale de Saint-Jacques, remontant à la fin du XVIIIᵉ siècle et reconstruite à la suite du tremblement de terre de 1907 renferme deux monuments dus au sculpteur anglais John Bacon.

St. James' **Craft Market,** bazar situé au bas de Market Street, étale en plein air ses paniers, gravures, broderies et articles en paille. Vous trouverez des boutiques hors-taxe un peu partout à Montego Bay, mais elles se concentrent principalement à Freeport, qui occupe une petite péninsule à l'ouest de la ville.

Le fort Montego, face à Walter Fletcher Beach, a été édifié au milieu du XVIIIᵉ siècle, mais n'a jamais servi. Poussez jusqu'à Richmond Hill pour jouir de la vue sur la cité.

La région de Montego Bay s'étend à l'est sur 42 km, jusqu'à **Martha Brae**, une rivière propice aux plaisirs du radeau. L'exercice s'y pratique de la même façon que sur le Rio Grande (voir p. 33), mais le cours d'eau est ici plus sinueux et le trajet ne prend que 1 h 15. Le départ a lieu à Rafters' Village, où vous attendent aire de pique-nique, boutiques de souvenirs, vendeurs de boissons et bar. Des

Joies de la mer, plaisir de la musique, la vie est au rythme du calypso.

Pour voir le pays sous un autre angle, essayez la Martha Brae.

bambous emplumés bordent la rivière, qui circule à travers des bananeraies et des champs de canne à sucre et d'ignames. Une profusion d'oiseaux – minuscules perruches vertes, pi-

verts et l'actif sucrier – vous accompagnent de leur sérénade. Le voyage prend fin à Rock, d'où un autocar vous ramène ensuite au point de départ.

Falmouth, situé à moins de 2 km à l'ouest, s'enorgueillit d'une admirable concentration d'édifices de style geor-

l'architecture de l'époque. A proximité de Water Square se dresse le tribunal, reconstruit en style palladien, après avoir été ravagé par le feu en 1926.

Le chef-lieu de la commune de Trelawny fut transféré de Martha Brae à Falmouth quand l'embouchure de la rivière s'envasa. Sucre et rhum contribuèrent à la prospérité de la ville.

Plusieurs domaines de la région sont ouverts aux visi-

La sorcière blanche

Au XIXe siècle, l'une des maîtresses du domaine de Rose Hall valut à cette immense demeure une réputation tellement sinistre que, pendant des années, elle fut jugée inhabitable.

Annie Palmer y arriva en 1820, jeune mariée d'une grande beauté mais à l'esprit tourmenté. Les faits, la rumeur et la superstition s'allient pour affirmer qu'elle empoisonna son premier mari, étrangla le second et poignarda le troisième. Elle aurait entre-temps assassiné un amant et terrifié les esclaves de la région au moyen de sa magie noire de sorcière blanche. Elle n'avait que 29 ans quand elle fut enterrée dans le parc de Rose Hall; la «sorcière blanche» avait été étranglée par une main inconnue !

gien. Market Street a servi de décor au film tiré du livre d'Henri Charrière, *Papillon*. Le presbytère méthodiste du bas de la rue fut construit en 1799 par la famille de la poétesse Elizabeth Barrett Browning. Aujourd'hui très délabrée, cette maison représentait jadis un élégant spécimen de teurs. **Greenwood House,** qui date du début du XIXe siècle, est superbement meublée; elle abrite une collection d'instruments de musique anciens ainsi qu'un ou deux fantômes parfaitement authentiques.

Rose Hall, relevé de ses ruines à grands frais, fut le foyer de la fameuse «sorcière blanche». Ses lambris d'acajou, ses précieux bois fruitiers et son magnifique escalier, font de cette bâtisse, construite en 1760, l'une des plus belles résidences de la Jamaïque.

Le marché de Falmouth regorge de légumes et de fruits mystérieux.

A proximité d'ANCHOVY, dans l'arrière-pays de Montego Bay, vous aurez l'occasion d'observer et de photographier des espèces rares au **Bird Sanctuary** (sanctuaire ornithologique) de Lisa Salmon, dit aussi Rocklands Feeding Station. Les oiseaux-mouches descendent pour boire à même les abreuvoirs qu'on leur tend. L'alimentation des oiseaux a lieu en fin d'après-midi.

La Jamaïque occidentale

Le littoral occidental de l'île, et plus particulièrement la région de Negril, est le dernier en date des paradis touristiques de la Jamaïque.

Parti de Montego Bay, vous rencontrerez TRYALL, où une vieille roue hydraulique signale l'emplacement d'une sucrerie, qui accueille chaque année un tournoi de golf international. Le joli havre de LUCEA fut jadis un port sucrier animé. Au sommet d'une colline, on peut visiter le fort Charlotte.

Le nom de **Negril** remonte au XVe siècle, l'endroit étant alors appelé par les Espagnols «*Negrillo*». En 1720, le fameux pirate «Calico Jack» Rackham y fut capturé. Son équipage comptait deux combattants particulièrement acharnés, qui se révélèrent être des femmes – enceintes qui plus est. Elles furent à peu près les seules à échapper à la potence.

Loin de tenter de rivaliser avec Montego Bay, Negril cultive une attitude détachée. Vous pourrez y louer de charmantes paillotes de style jamaïquain et vous détendre sur sa plage de 12 km de long, à moins que vous ne préfériez une chambre avec pension complète dans un des hôtels modernes qui viennent de s'y ouvrir.

Negril Harbour ou Bloody Bay (baie sanglante), une anse sableuse en forme de croissant, offre plus d'attraits que son nom, qui date de l'époque de la pêche à la baleine. **Long Bay** n'est autre qu'une immense étendue de sable miroitant qui coule vers la mer.

La vie est insouciante à la pointe occidentale, entre South Negril River et le phare. La côte y est rocheuse et creusée de profondes criques propices à la natation et à la plongée. Dans cet endroit très reculé, les couchers de soleil se livrent à une débauche de violet, d'orange et de safran.

Faites en sorte d'assister à une exhibition de plongeon du haut des falaises.

Dans l'arrière-pays de Montego Bay, **Cockpit Country** offre des paysages intéressants. Cette étrange contrée, à la végétation dense et au relief accidenté, est criblée de marmites de géants creusées dans le calcaire. Les esclaves fugitifs s'y cachèrent pour échapper aux Anglais (voir p. 13) et leurs descendants vivent encore dans les villages «marrons» de la région.

Au-delà de Cockpit Country, près de MAGGOTTY, les touristes se pressent pour visiter la rhumerie d'Appleton, où l'on peut goûter de l'alcool local.

Si vous vous sentez d'humeur plus aventureuse, la ville de Black River, sur la côte sud de l'île, vous propose un safari à la recherche des crocodiles en remontant la rivière.

Mandeville

Située à un peu plus de 100 km à l'ouest de Kingston, Mandeville représente une retraite idéale pour ceux qu'attire le repos au sein d'une atmosphère calme et aérée. La ville est située dans les collines, à une altitude supérieure à 600 m, et la température y oscille entre 13 et 29° C. On peut s'y rendre par la route à partir de n'importe quel point de l'île et les avions la desservent depuis Kingston et Mo' Bay. La bauxite est à l'origine de sa prospérité actuelle. La cité conserve un cachet britannique, que renforcent encore l'imposant tribunal de style géorgien, l'église de pierre et le plus ancien parcours de golf de l'île (Manchester Club).

A quelques kilomètres à l'est de la ville, la route bifurque en direction de **Milk River Bath,** la plus importante station thermale de la Jamaïque et la plus radioactive du monde. La température de l'eau atteint 33° C.

Depuis Mandeville, vous pourrez opérer une incursion vers l'ouest, en empruntant la splendide **Bamboo Avenue,** jusqu'à la principale sucrerie de la Jamaïque, Monymusk, ou bien vers le sud-ouest jusqu'à la falaise à pic de **Lover's Leap** qui surplombe la mer de plusieurs dizaines de mètres. Non loin de là, **Treasure Beach** déroule son sable doré.

Negril: 12 km de plage pour les amateurs de bains de soleil solitaires. **47**

Que faire

Les sports

Une île offre l'avantage de simplifier le passage de l'élément sec à l'élément humide. La mer n'est jamais loin. A la Jamaïque, elle est calme et chaude et les plages sont parfaitement aménagées, pour le repos comme pour l'exercice. Vous y aurez aussi l'occasion de perfectionner votre jeu, que ce soit au tennis ou au golf.

Les sports nautiques

Natation. Beaucoup d'hôtels disposent d'un bassin privé – quoiqu'il ne manque pas non plus de piscines publiques – et les grands hôtels mettent à votre disposition des piscines d'eau douce. Les zones de baignade et les piscines sont surveillées de 9 h, environ, jusqu'à 18 heures.

Les meilleures plages se rencontrent sur le littoral septentrional. La plus longue (12 km), où l'eau est aussi la plus chaude, est celle de Negril. Pour pratiquer le **surf,** recherchez à l'est de Port Antonio les rouleaux de Boston Bay.

Plongée sous-marine. Pour observer les poissons tropicaux multicolores, vous aurez la possibilité de louer un équipement dans les hôtels de la côte septentrionale. Runaway Bay est spécialement recommandé. Kingston Bay et la charmante île de Lime Cay, accessible depuis Morgan's Harbour, offrent aussi des possibilités intéressantes.

On trouve souvent des récifs à moins de 100 m de la côte. L'eau y est claire et la faune marine abondante. Vous y observerez 50 variétés de coraux, diverses espèces d'éponges, d'oursins, d'étoiles de mer, de vers et des poissons tels que lutjanides, carrelets, anges de mer, poulpes, ainsi que des laminaires. Des plongées guidées sont prévues et certains hôtels disposent de moniteurs. Vous pourrez aussi améliorer votre technique dans les centres de plongée.

Voile et yachting. La plupart des hôtels balnéaires louent des petits voiliers (*Sunfish* ou *Sailfish*). La planche à voile gagne en popularité et des instructeurs existent. Pour affréter un bateau de plus grande taille, adressez-vous au Royal Jamaica Yacht Club de Port Royal. La descente de rivière en radeau, divertissement typiquement jamaïquain, se pratique sur le Rio Grande, la Great River et la Martha Brae.

L'intrépide propose son spectacle à ceux qui le sont un peu moins...

Pêche. La Jamaïque abonde en poissons d'eau douce et de mer. Port Antonio, un des principaux lieux de pêche marine des Antilles, organise chaque automne un tournoi international de pêche. D'autres tournois s'y déroulent ainsi qu'une compétition annuelle à Ocho Rios. Mo' Bay est également un endroit favorable.

Les poissons que vous avez le plus de chances de pêcher ont nom pèlerins, poissons-épieu, *wahoos,* dauphins, thons, bonites, poissons-lune et barracudas.

La pêche au fusil-harpon est généralement autorisée autour des récifs (renseignez-vous sur place), mais attention, le corail est protégé et doit être respecté.

La pêche à la mouche, en rivière, vous permettra de ferrer perches et mulets.

49

Les sports terrestres

Tennis. La Jamaïque possède de nombreux courts et joueurs de première catégorie. La plupart des courts du littoral septentrional sont ouverts gratuitement à la clientèle des hôtels. Certains établissements disposent même d'un entraîneur professionnel.

Golf. La Jamaïque dispose d'excellents parcours, les meilleurs étant concentrés autour de Montego Bay. Leur liste comprend Tryall, Half Moon, Wyndham et Ironshore.

Près d'Ocho Rios se regroupent ceux d'Upton et de Runaway Bay. A Kingston, le visiteur a le choix entre ceux du Constant Spring Golf Club, du Caymanas Country Club et du Liguanea Club. Mandeville possède un parcours de 9 trous au Manchester Golf-Club.

Randonnées à pied. Elles sont spécialement agréables sur les hauteurs, où la végétation est dense, les espèces ornithologiques nombreuses et les températures plus fraîches. Pour tous renseignements concernant les refuges, les pistes pédestres et l'ascension du Blue Mountain Peak (qui est déconseillée aux novices), adressez-vous au ministère du Tourisme de la Jamaïque, à Kingston.

Jogging. Il existe une piste de jogging dans le quartier chic de Kingston (à l'hôtel Pegasus) ainsi qu'à Ocho Rios (1,5 km), Montego Free Port (5 km) et à Negril (5–6 km).

Equitation. La région de Mandeville dispose d'un manège. On en trouve aussi le long du littoral septentrional. Renseignez-vous auprès de votre hôtel pour obtenir des précisions. A Kingston, adressez-vous au Caymanas Golf and Country Club.

Spectacles sportifs. Le cricket et les divers autres jeux légués par les Anglais se pratiquent de janvier à fin août. Vous pourrez assister à des matches de football en automne et en hiver et à des rencontres de polo toute l'année au parc Caymanas de Kingston et au Drax Hall, près d'Ocho Rios. Des courses de chevaux se disputent à l'hippodrome de Caymanas à Kingston. Consultez les journaux locaux.

Les achats

A la Jamaïque, les achats se divisent en deux catégories: d'une part les produits de l'artisanat local, d'autre part les articles d'importation hors-taxe. Vous trouverez de nombreuses boutiques des deux sortes dans les secteurs touris-

Souvenir des Anglais, l'inévitable cricket se teinte ici d'exotisme.

tiques. Les bazars principaux sont le Straw ou Craft Market, situé dans Harbour Street à Kingston, le St. James' Market à Montego Bay et les marchés de Port Antonio et Ocho Rios.

Si les produits d'importation vous intéressent, il serait préférable d'avoir une idée de ce qu'ils coûtent dans votre pays. Parmi les articles en vente, citons les cachemires écossais, les parfums français, les montres suisses, les appareils photographiques japonais, les alcools, etc. Vous pourrez emporter tous vos achats, à l'exception des articles «consommables», c'est-à-dire l'alcool et le tabac. Ceux-ci vous seront remis au port (ou à l'aéroport) au moment de votre départ.

Munissez-vous d'une preuve de votre qualité de touriste en vous rendant dans les boutiques hors-taxe. Le paiement doit être effectué en dollars jamaïquains, la seule monnaie ayant cours sur l'île.

Pour en venir aux produits locaux, voici ce que proposent boutiques et bazars: bois sculptés, vannerie, linge brodé, coquillages ouvrés et joaillerie artisanale. Les prix seront plus élevés dans les boutiques (où il n'est pas d'usage de discuter le prix) que sur les marchés ou aux éventaires en bordure de route (où vous pourrez faire appel à votre talent pour marchander).

Les reliefs rastafariens sont souvent de très haute qualité. Recherchez surtout les objets en *lignum vitae*, superbe bois dur et lourd de couleur rose. Les Rastafariens fabriquent

se et la vente du corail noir, dont on fait traditionnellement des bijoux, sont illégales.

Parfums et lotions extraits des fleurs tropicales ou à base de citron vert ou de tafia de laurier constituent d'agréables présents. De même que les disques et cassettes de musique locale – spécialement ca-

Périssables ou immortels, les produits jamaïquains sont bien attirants.

également des ceintures tissées et des bérets aux couleurs «rastas»: rouge, or, noir et vert. Hommes et femmes trouveront des tenues d'été à leur convenance. Sachez que la chas-

lypso ou reggae – et les reproductions d'anciennes cartes et gravures jamaïquaines.

Les connaisseurs achèteront du café de Blue Mountain, des épices ou une bouteille du cru – rhum, liqueur de Tia Maria, *piña colada* (rhum, jus de pamplemousse et lait de coco) ou planteur. **53**

«Rastas» et reggae

Le mouvement «rastafarien» représente à la fois un puissant courant culturel, une religion et une recherche de l'identité nationale.

Les hommes se laissent pousser les cheveux. Les femmes portent des jupes longues et se couvrent le chef. Les Rastafariens décorent leurs maisons de symboles de paix et d'amour et affichent souvent des portraits de l'ex-empereur d'Ethiopie, Haïlé Sélassié, considéré comme une incarnation de Dieu. Ils sont en général végétariens et fument la *ganja* (marihuana) pour des motifs religieux.

On peut porter au crédit de ce mouvement la naissance de la musique reggae. Celle-ci procède du *rhythm-and-blues*, par l'intermédiaire des pulsations du «ska». Bob Marley l'a popularisée bien au-delà des côtes de la Jamaïque. Les amateurs de reggae seraient peut-être surpris d'apprendre que les paroles véhiculent souvent un message rastafarien.

La vie nocturne

La plupart des hôtels entretiennent un orchestre et présentent un spectacle le soir. Calypso et reggae mettent de l'ambiance et vous trouverez partout des discothèques. Une fois les choses en train, les gens fraternisent facilement. La plupart du temps, vous n'aurez pas besoin de vous habiller, encore que porter une tenue dans le vent fasse partie intégrante du plaisir.

Lors des soirées sur la plage ou au bord d'une rivière, les attractions et le «menu» sont en général particulièrement soignés. C'est l'occasion d'entendre jouer les orchestres, de voir danser le *limbo* et de traîner les pieds toute la nuit au son de la musique reggae.

La plupart des cinémas projettent des films en anglais. Saisissez l'occasion d'assister à une représentation de théâtre jamaïquain, surtout si le National Dance Theatre figure au programme. Les dialogues en patois rendent parfois la compréhension des pièces difficile, mais la qualité

Personne ne peut résister au charme ni à la vitalité du National Dance Theatre.

du spectacle – d'autant plus surprenante qu'il s'agit de théâtre amateur – compense largement les moments de perplexité. La pantomime jamaïquaine au Ward Theatre de Kingston, est un spectacle à ne pas manquer (du 26 décembre au mois d'avril).

Un conseil à l'intention des noctambules audacieux. Ne vous aventurez dans les quartiers «chauds» qu'avec précaution, en particulier à Kingston et à Montego Bay. **55**

Les plaisirs de la table

Si vous en restez à la cuisine «internationale», aucun problème: vous trouverez tous vos mets favoris. Si vous êtes un amateur d'aliments diététiques, tranquillisez-vous: la Jamaïque n'ignore pas les végétariens.

Mais il serait dommage de passer à côté de la «vraie» cuisine locale. La Jamaïque a bénéficié des traditions culinaires conjuguées de l'Afrique, de l'Angleterre et de l'Amérique, chacune d'elles s'étant d'ailleurs adaptée aux exigences locales. La nourriture a tendance à être épicée. Cette particularité résulte de l'isolement initial de l'île; de nombreux aliments devaient alors être séchés, conservés dans le vinaigre ou salés pour être expédiés dans l'île par bateau et il fallait, au moment de les cuisiner, leur ajouter des épices pour en relever ou pour en masquer le goût.

Un buffet jamaïquain est dressé au moins une fois par semaine dans les principaux hôtels. Le reste du temps, vous aurez la possibilité de commander des plats jamaïquains à la carte ou de tâter de l'ordinaire des restaurants locaux.

Hors-d'œuvre et entrées

Vous goûterez l'une des **soupes:** par exemple, le *pepperpot,* composé de *callaloo* (une sorte d'épinard), de gombo et de lait de coco; la soupe au potiron; le potage au *conch* (prononcer: conk), une sorte de coquillage.

Les crabes farcis ont un goût épicé et délicat. Au chapitre des hors-d'œuvre, choisissez aussi le *Solomon Gundy,* hareng mariné, ou des *patties,* feuilletés garnis de viande. Véritable casse-croûte national, ces feuilletés se consomment aussi bien sur le pouce, au coin d'une rue, qu'à l'heure du thé, chez les particuliers. Sous le nom de *Stamp and go* se cachent des beignets de poisson, et les *johnny cakes* sont des petits pains frits dans l'huile.

Poissons et fruits de mer

Toutes sortes de **poissons** figurent au menu: poissons-lune (*kingfish,* généralement servi en tranches), divers types de lutjanides *(snapper),* dont la variété rouge est la plus recherchée, bonites *(bonito)* et marsouins *(jack).* La langouste *(crayfish)* est relativement abondante – mais il faut y mettre le prix.

Le poisson salé préparé aux fruits de l'*ackee* est le plat

national, mais ni l'un ni l'autre ne sont originaires de l'île. Le poisson fut tout d'abord importé du Canada et l'*ackee* fut introduit dans l'île par le capitaine Bligh, rendu célèbre par la mutinerie du *Bounty*. Son fruit rose est vénéneux tant qu'il n'est pas mûr ; arrivé à maturité, il éclate et révèle son intérieur délicat de couleur jaune. Cuit, le fruit de l'*ackee* ressemble aux œufs brouillés.

Le *run dun* (ou *run-down fish*) se compose d'alose ou de maquereau doucement mijoté

Fumé sur un feu de bois de poivrier, le porc séché est exquis.

dans du lait de coco réduit. Le «poisson frit avec bammie» *(fry fish and bammie)*, épaisse crêpe à la farine de manioc, se vend aux éventaires et dans les petits restaurants indigènes. C'est une spécialité de la commune de St. Elizabeth, au même titre que les crevettes au poivre *(pepper shrimps)*.

L'*escovitched* est le nom d'un plat faisant appel à un poisson de grande taille coupé en tranches, poêlé et mariné dans une sauce à l'oignon, poivrée et vinaigrée.

La viande

Ne méprisez pas l'humble chèvre qui, bien qu'assez prodigue en os, peut être excellente préparée au curry et accompagnée de riz et de bananes vertes. On trouve parfois du pigeon. Quant au poulet, les façons de l'accommoder sont nombreuses. Le poulet séché *(jerk chicken)* se présente sous forme de morceaux fumés au feu de bois de poivrier. Encore plus réputé, le **porc séché** *(jerk pork)* est une spécialité de la commune de Portland. Le porc séché figure au menu des buffets froids, mais si vous en achetez à un *pit* (éventaire), assurez-vous qu'on vous sert la proportion de gras et de maigre que vous **58** désirez manger.

Les légumes

Outre la bonne vieille **pomme de terre** *(potato)*, on vous servira à la Jamaïque des patates douces *(sweet potatoes)*, qui accompagnent parfaitement les plats au curry; le *chocho*, fruit épineux d'une vigne envahissante dont la saveur fade rappelle un peu celle de la courge; le fruit de l'arbre à pain *(breadfruit)*, servi bouilli, frit ou rôti, qui présente un discret goût d'amidon; et l'igname, autre farineux suave. La banane verte bouillie est servie comme légume, tandis que sa cousine jaune *(plantain)*, plus grosse et plus commune, est en général coupée en tranches, écrasée et frite. Le **rice'n peas** («riz-et-pois», en fait des haricots rouges) est omniprésent.

Les desserts

Tartes et crèmes à la noix de coco abondent. Recherchez la mixture baptisée «vie conjugale» *(matrimony)*, pulpe d'orange et de pomme mélangée avec de la crème. Le fromage de goyave, sorte de rahat loukoum antillais, est en fait de la gelée de goyave sucrée. Le pudding de patates douces, d'inspiration anglaise, paraîtra peut-être lourd à certains estomacs, mais quelques cuillerées de rhum l'aideront

à descendre. La **banane** mûre apparaît sous toutes sortes de formes : grillée, en beignets ou en crèmes. Quelques gouttes de rhum font merveille sur maints desserts à la banane. Le pain de banane, servi au petit déjeuner, est savoureux.

Les fruits

Ici règne une confondante variété d'espèces exotiques. On trouve évidemment des oranges, des mangues (les meilleures et les moins fibreuses sont les variétés dites Julie, Bombay et No 11) et des papayes *(paw-paw)* servies au petit déjeuner ou au dessert avec une goutte de citron vert mais éga- lement excellentes accompa- gnées d'une boule de glace. Vous découvrirez le corossol *(sweetsop)* et le cachiment *(soursop)*, fruits à peau ru- gueuse qu'on peut manger crus, mais qui s'avèrent parti- culièrement agréables sous forme de jus. La canne à sucre se mâche après avoir été épluchée.

Les boissons

Tous ces fruits aboutissent au pressoir, qui en extrait de déli- cieuses boissons alcoolisées ou non. Le lait de noix de coco est un rafraîchissement qu'on trouve au bord de toutes les routes. Après vous être délecté, vous rendez la noix de coco au vendeur, afin qu'il vous taille une «cuiller» dans l'écorce pour «vous permettre d'en râcler la chair.

La marque Red Stripe est celle d'une excellente bière blonde de fabrication locale. Le rhum, clair et aromatique, entre dans de nombreux mélanges; mais il est surtout apprécié sous la forme du classique «planteur», à la composition duquel concourent jus de citron vert, sirop de canne, glace pilée et parfois un grain de muscade.

Il existe des vins d'importation, mais ils sont chers. La Jamaïque produit cependant un vin agréable.

Pour parachever le tout, goûtez au Rumona, boisson à base de rhum, ou au délicieux Tia Maria, préparé avec des grains du café des montagnes Bleues. Le café proprement dit, fort et savoureux, est l'un des plus recherchés du monde.

S'il arrive qu'on vous offre du thé de champignon *(mushroom tea)*, n'acceptez pas à la légère. On le prépare avec un champignon sauvage contenant de la psilocybine et ce végétal, fumé, mangé cru ou consommé sous forme d'infusion, entraîne des hallucinations semblables à celles que provoque le LSD.

Excursions

Haïti

Haïti signifie le «haut pays» dans la langue des Indiens arawaks qui ont jadis occupé l'île. Ce nom lui convient parfaitement. Les quatre cinquièmes du pays sont couverts de montagnes, dont certains sommets s'élèvent jusqu'à 2700 mètres d'altitude.

Vu d'avion, le pays apparaît enveloppé dans une brume bleu-vert qui voile légèrement les croupes des montagnes et les gorges. A terre, il évoque une fourmilière multicolore, perpétuellement animée, perpétuellement changeante. Gaieté, cordialité, courtoisie et hospitalité caractérisent son peuple, doté d'une certaine innocence doublée d'une dignité inébranlable. Ici, on peint, on cisèle, on tisse et on sacrifie au mystérieux culte du vaudou. Rien d'étonnant à ce que le thème du paradis perdu apparaisse si souvent dans l'œuvre des artistes haïtiens.

Haïti occupe la partie occidentale de l'île d'Hispaniola (la république Dominicaine englobe les deux autres tiers de l'île). Elle peut s'enorgueillir d'avoir été la première répu-

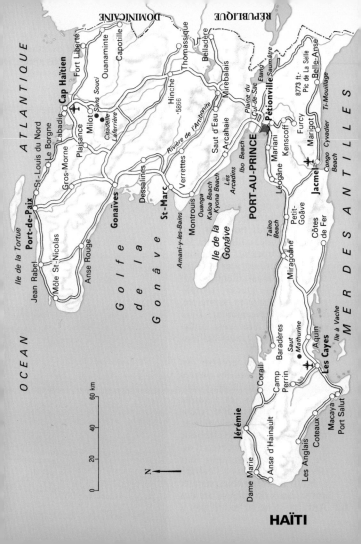

blique noire du monde – et même la seule pendant un siècle et demi. Mais c'est aussi le pays le plus pauvre de l'hémisphère occidental et celui dont la densité de population est la plus élevée, avec quelque 5 à 6 millions d'habitants. Ceux-ci parlent le créole, langue dérivée du français, à laquelle se sont intégrés des apports de différents dialectes d'Afrique occidentale, de l'espagnol et de l'anglais.

Dans ce pays, le mot «civilisé» prend un nouveau sens. Les paysannes nu-pieds, qui descendent des collines, un panier de légumes sur la tête, ont un port de reine. Les garçonnets qui vous assaillent en s'offrant à vous guider, rempliront cet office avec honnêteté, fidélité et dévouement. Leur soif d'apprendre n'est nullement affectée, et leurs haillons pas davantage.

A Haïti, on enterre les morts sous de lourdes pierres tombales afin qu'ils ne reviennent pas hanter les vivants. Les tambours vaudou retentissent la nuit dans les collines, mais d'avoir battu le tambour n'empêchera pas les gens d'aller le dimanche remplir leur devoir de chrétiens à l'église!

Haïti ne ressemble pas aux autres lieux de villégiature des **62** Antilles et ne se réduit pas à

quelques clichés. Parmi ses plages, les unes sont excellentes, les autres ne sont pas aménagées ou ne sont accessibles qu'en jeep. La Citadelle, bâtie au début du XIXe siècle pour protéger le pays contre les attaques des Français, et les ruines grandioses du palais de Sans Souci y dressent leur

double splendeur. L'art y fleurit partout: dans les galeries, sur les murs des immeubles et le long des trottoirs.

Vous découvrirez une cuisine raffinée et des gens dont le charme et l'esprit n'ont pas leur pareil au monde. Le luxe aussi s'y manifeste, à l'abri des villas et des hôtels de Pétionville. Les signes de misère, cependant, qui surgissent par-

Ces voiles sont celles des barques haïtiennes qui, après avoir livré leurs produits aux îles alentour, s'en reviennent la cale lourde de poissons.

tout, vous mettront probablement très mal à l'aise.

Les Haïtiens reconnaissent qu'une visite dans leur pays constitue une authentique expérience culturelle. Haïti pourra vous choquer, vous émouvoir ou vous fasciner; mais il est presque certain qu'elle ne vous laissera pas indifférent.

Un peu d'histoire

Christophe Colomb découvrit l'île le 5 décembre 1492 et la nomma *Española* ou *Hispaniola,* «l'Espagnole». Les Indiens arawaks qui la peuplaient accueillirent les nouveaux arrivants avec leurs habituelles démonstrations de gentillesse, de politesse et de générosité. La population arawak qui devait atteindre le million d'individus en 1492, fut en grande partie massacrée ou s'éteignit au cours du demi-siècle suivant. C'est alors que débuta l'importation des esclaves originaires de l'Afrique occidentale, en particulier de la côte de Guinée.

L'époque française

Vers 1625, les boucaniers français et anglais établirent leur quartier général sur l'île de la Tortue. Les corsaires français étendirent graduellement leur influence jusqu'à Haïti, où ils fondèrent la colonie du Cap Français (aujourd'hui Cap Haïtien). L'Espagne céda officiellement le tiers occidental de l'île à la France par le traité de Ryswick (1697).

Cette région, appelée Saint-Domingue, devint la plus riche colonie française des Antilles. Elle exportait avec profit sucre, café, indigo, cacao, tabac et coton. Les Français y menaient une existence luxueuse aux dépens des esclaves.

La nouvelle de la Révolution française et la force unificatrice du vaudou poussèrent un demi-million d'esclaves à se révolter (1791). Ils mirent le feu aux plantations et assassinèrent les planteurs. L'émancipation des esclaves fut proclamée en 1793, au terme de deux années de troubles. Mais les Anglais et les Espagnols, profitant du désordre, commencèrent à prendre pied dans la possession française; acculés, les Français firent appel à un ancien esclave, un homme d'une cinquantaine d'années du nom de Toussaint-Louverture.

Toussaint réussit à chasser aussi bien les Espagnols que les Anglais, devint commandant en chef de l'armée de Saint-Domingue et finalement gouverneur du pays en 1801. Homme éclairé et clairvoyant,

est contigu
a place des
ndance, ha-
née Champ
nombre de
ortent deux

noms, l'un officiel et l'autre familier), où se dressent les statues des héros nationaux: Dessalines, Christophe et Pétion (voir pp. 65–66). Au nord du palais national, s'étend la

Marron inconnu, due à Albert Mangonès, orne la nposant palais national, siège du gouvernement.

Sans Souci, le palais dont Henri Christophe – fameux tyran – voulut faire un nouveau Versailles.

il traita avec justice les Européens qu'il employa à l'administration du pays et s'efforça d'édifier une armée puissante et de restaurer l'ancienne prospérité de l'île.

Tout cela n'était pas pour plaire à Bonaparte qui, regrettant les richesses de cette ancienne possession, envoya une flotte de 80 navires de guerre, placée sous le commandement du général Leclerc. Toussaint, vaincu, fut expédié en France, où il mourut en captivité.

Trois de ses généraux, Christophe, Dessalines et Pétion, continuèrent la lutte et vinrent à bout des Français; la politique de la terre brûlée qu'ils pratiquèrent, alliée aux assauts de la fièvre jaune – qui fit 18 000 victimes dans les rangs français –, contribuèrent à la victoire.

65

L'indépendance

Le 1er janvier 1804, Jean-Jacques Dessalines proclama l'indépendance du pays, qui reprit son nom initial de Haïti. Dessalines prit le nom de Jacques Ier, empereur de Haïti. Son règne bref et tyrannique s'acheva par son assassinat, en 1806. Les mulâtres, qui formaient un groupe puissant et instruit, lui choisirent Pétion pour successeur et après une période de luttes, celui-ci gouverna le Sud et l'Est, tandis que Christophe, le troisième général de Toussaint, se proclamait roi dans le Nord et l'Ouest.

Christophe, devenu à son tour un tyran, céda à une manie architecturale aussi absurde que tragique. Il ordonna d'abord la construction du palais de Sans Souci sur les collines surplombant Milot (voir p. 78), puis de la gigantesque forteresse de la Citadelle La Ferrière (voir p. 79). La paralysie et l'abandon de ses troupes le contraignirent, en 1820, à un dernier geste grandiloquent : il se tira une balle – en or, dit-on.

En 1844, un soulèvement survenu dans les deux tiers orientaux de l'île aboutit à la formation d'un Etat indépendant, la république Dominicaine. Commença alors pour Haïti une longue période d'administration chaotique, de troubles et de luttes intestines.

L'époque moderne

En 1915, les Etats-Unis, résolus à protéger le canal de Panama contre l'Allemagne et à empêcher la concentration de forces européennes dans les Antilles, envoyèrent les «marines» occuper le pays. A quelques années de calme relatif succéda la guerre de Cacos (1918–1922), caractérisée par la guérilla. Les Américains quittèrent l'île en 1934.

Dumarsais Estimé, président de 1946 à 1950, eut le mérite d'assainir les quais de Port-au-Prince et de libérer Haïti de sa dette financière à l'égard des Etats-Unis. Mais il fut chassé du pouvoir et son successeur, Paul Magloire, laissa Haïti exsangue.

François Duvalier, un médecin de campagne élu président en 1957, transforma totalement la physionomie sociale du pays. Opposé à la bourgeoisie mulâtre qui tenait les rênes du pouvoir depuis la proclamation de l'indépendance, il assit sa puissance sur les masses noires, urbaines et rurales. «Papa Doc» gouverna Haïti jusqu'à sa mort, survenue en 1971, en s'appuyant pour mainte[nir] sur l'armée et sur sa [se]crète, les Tontons-[...]

Le titre de prési[dent] échut à son fils, Jea[n-Claude] surnommé «Bébé [Doc»] quitta précipitamm[ent Haïti] en 1986.

Haïti a de quoi ê[tre fière de] son histoire. Elle a [aussi un] passé tragique et a[...] avenir difficile avec[...] en plaçant ses es[poirs dans] l'aide des pays m[oins favo]risés.

appartements. Il [...] à l'esplanade de [...] Héros de l'Indépe[ndance ha]bituellement nom[mée Champ] de Mars (à Haïti [...] rues et de places [...]

La superbe statue d[...] place que domine l[...]

place du Marron Inconnu ornée d'une belle **statue** d'Albert Mangonès, représentant un Marron soufflant dans une conque pour appeler ses frères à la révolte.

A proximité, dans le **musée du Panthéon national,** une crypte abrite les dépouilles des pères fondateurs de Haïti.

Passée l'impressionnante voûte moderne, on découvre des reliques du passé, portraits et documents historiques. Parmi eux, l'ancre de la *Santa Maria,* le bateau de Christophe Colomb, la montre de Toussaint-Louverture et le pistolet en argent avec lequel le roi Henri Christophe se donna la mort.

Des bâtiments administratifs cernent ce périmètre. Haïti a pris l'habitude, commode et insolite, d'attribuer une couleur à ses immeubles. Le jaune désigne l'armée, un toit vert signale les bâtiments ministériels. La vaste construction de couleur jaune, située à droite de la statue quand on fait face au palais, est la caserne François-Duvalier.

Au nord de la place du Marron Inconnu s'élève la **cathédrale anglicane de la Sainte-Trinité,** décorée de peintures murales dues à des artistes haïtiens. Deux Américains – Dewitt Peters, professeur d'anglais et aquarelliste, et Selden Rodman, écrivain et critique – ont contribué à l'éclosion de l'art haïtien durant les années 1940. Directeurs du centre d'Art de Port-au-Prince, ils persuadèrent l'évêque anglican, Alfred Voegeli, de confier la décoration intérieure de l'église à des artistes **69** haïtiens. Le résultat, des **fresques bibliques** dues à Philomé Obin, Rigaud Benoît, Castera-Bazile et Gabriel Levêque, est très émouvant. Les *Noces de Cana* de Wilson Bigaud, qui baignent dans une étrange lumière verte, mêlent magistralement symbolismes chrétien et haïtien.

Au sud de la place des Héros de l'Indépendance, le **musée d'Art haïtien** expose les principaux artistes autochtones. La boutique située au fond du musée vend des objets intéressants, tels que sculptures sur bois, sculptures en fer, tissages et poupées.

Deux autres églises méritent d'être signalées : la cathédrale Notre-Dame, siège de l'autorité épiscopale de Haïti, et l'ancienne cathédrale catholique, construite en 1720 sous le régime français.

Le second haut lieu de la ville est le **marché de Fer,** extraordinaire édifice rouge et vert surmonté de tours en forme de minaret. Il est situé dans le centre, boulevard Jean-Jacques Dessalines, communément appelé Grand-Rue. On raconte que ce bâtiment, commandé pour une ville orientale et construit en France par les ingénieurs responsables de la tour Eiffel fut expédié ici par erreur. Quoi qu'il en soit, ce pittoresque marché bourdonne comme une véritable ruche et on y trouve pêle-mêle épices, lacets de chaussures, tableaux naïfs et poulets vivants. Chaud, bruyant et riche en effluves, cet endroit saura vous plaire. Soit dit en passant, on s'attend à ce que vous marchandiez.

Au sud-ouest du marché de Fer s'étend le parc international d'exposition, centre moderne où sont rassemblés, à proximité du port et en bordure du boulevard Truman, les bureaux, les compagnies aériennes et la poste. Le Casino international y est situé, ainsi que l'Office du Tourisme et le Théâtre de Verdure qui présente deux fois par semaine un spectacle de ballet. On y trouve aussi une *gaguère* (arène) et un jet d'eau, joliment illuminés la nuit. Ce quartier est très fréquenté par les Haïtiens qui aiment à y flâner le soir en prenant le frais.

Casino Pier, sur le bord de mer, est le point de départ des circuits quotidiens desservant **Sand Cay Reef;** la Marina Beau-Rivage organise journellement une excursion au

Une «Madame Sarah» ingénieuse, en route pour le marché de Pétionville.

GRAND BAC, endroit propice à la natation et à la plongée.

Les *taps-taps,* les autobus de la région de Port-au-Prince ressemblent à s'y méprendre à des caravanes de cirque. Couverts de fresques et de symboles, ils portent tous fièrement une pieuse inscription, telle que «Cœur de Jésus» ou «L'Eternel est très grand». Pour demander l'arrêt, il faut taper deux fois (tap, tap) contre la paroi du bus.

Pétionville et au-delà

Pour y parvenir, prenez l'avenue John Brown, appelée aussi Lalue ou plus simplement «la route de Pétionville». Le long du chemin, vous apercevrez quelques-unes de ces résidences prétentieuses, d'allure néo-gothique, construites au début du siècle pour les plus riches membres de la société haïtienne. La circulation est ici assez dense et l'on croise un incessant défilé de «Madame Sarah» qui se rendent au marché pour y vendre leurs produits. Elles partent au milieu de la nuit pour arriver à temps en ville et vous les reverrez passer le soir dans l'autre sens, avec leurs paniers vides, de cette curieuse démarche, gracieusement dégagée, que vous finirez par associer

72 aux habitants du pays.

Lieu de résidence de la plupart des citoyens riches de Port-au-Prince, **Pétionville** est aussi l'endroit où se regroupent quelques-uns des meilleurs hôtels et restaurants de la région, de nombreuses galeries vendant des tableaux et gravures ainsi que la fabrique de parfums de Haïti.

La place de Pétionville est aussi nommée place Saint-Pierre, d'après l'église Saint-Pierre située légèrement en retrait. De là, la route conduit à BOUTILLIER, avec le **«château» de Jane Barbancourt,** où vous pourrez déguster diverses boissons au rhum.

Plus loin, à 1000 m d'altitude, du haut du belvédère permettant de jouir du **panorama** de Port-au-Prince, la vue porte à l'est jusqu'à l'ETANG SAUMÂTRE, lac infesté d'alligators, situé à la frontière de la république Dominicaine.

A **Kenscoff** (environ 1500 m d'altitude), l'air est si frais que l'on supporte un chandail. Des poinsettias bordent la route. La région cultive une grande quantité de fleurs et de légumes, qui viennent bien sur les petites parcelles à flanc de colline.

Plus haut encore, **Furcy** s'étire au bord d'une mauvaise route en lacets. L'air y est si pur, le silence si profond et l'odeur des pins si puissante qu'on se croirait dans les Alpes suisses. Pic de la Selle, le plus haut sommet du pays, apparaît suspendu dans une distante brume bleutée qui ajoute du mystère à tant de lieux de Haïti.

Jacmel

Cette charmante cité, située sur la côte méridionale de Haïti, à environ 2 h de route de Port-au-Prince, est un ancien établissement colonial enrichi par l'exportation du café.

Bien que Jacmel ait été ravagé par le feu en 1893, la ville a conservé de nombreux témoignages architecturaux de sa splendeur passée. On y voit encore les superbes demeures des grands pontes du café, construites à la fin du siècle dernier au moyen de charpentes métalliques importées d'Europe. Les gracieuses vrilles et volutes de fonte, que l'on retrouve à travers toute la ville, s'accompagnent de carreaux de couleur ornant le sol et les murs. Jacmel continue d'exporter du café vers l'Europe et les Etats-Unis et la **73**

Parmi les maisons implantées sur l'île, un élément de style néo-classique inattendu et plein de charme.

région avoisinante fournit de l'huile de vétiver et des écorces d'oranges respectivement destinées à l'industrie du parfum et à la manufacture de liqueurs. Mais Jacmel a cessé d'être un centre d'exportation important et se tourne maintenant vers le tourisme.

Certains hôtels haïtiens méritent une visite pour eux-mêmes. La pension Craft, à Jacmel – une ravissante vieille bâtisse pleine de coins et de recoins, au mobilier typique de l'artisanat local – est de ceux-là. Visitez aussi le marché de Fer, moins encombré que celui de Port-au-Prince mais presque aussi grandiose – et les excellentes galeries d'art.

A proximité de la ville s'étendent les **Bassins Bleus,** trois lacs aux cascades bouillonnantes. Le lac supérieur passe pour être placé sous la protection de la Sirène, déesse des eaux. On raconte qu'un peigne de sa chevelure a chu au sein de cet abîme couleur de turquoise et que la chance et la fortune ne manqueront pas de sourire à qui le retrouvera. Les lacs sont accessibles soit à pied, soit à cheval.

Jacmel possède une insolite plage de sable noir, Congo. D'autres plages agréables s'étendent à l'est, sur le littoral méridional, mais on y accède difficilement en voiture. Cyvadier est une petite anse où la mer déferle sur les rochers et où jaillit une source d'eau douce. Raymond-les-Bains garde le souvenir de jours meilleurs, dont témoignent encore les restes d'une esplanade et de vieux bancs en bordure de mer. Quant à la plage de **Ti-Mouillage** («petit mouillage»), il faut traverser un cours d'eau à gué pour y parvenir. Rien n'y est prévu pour les touristes et vous avez toutes les chances de vous retrouver seul sur cette plage longue et sablonneuse qu'abrite un bouquet de cocotiers.

A l'ouest et au nord de Port-au-Prince

A environ 1 h de route à l'ouest de Port-au-Prince, se déroule Taïno Beach. Tout près, le pittoresque village de Petit-Goâve. La baie abrite l'**île de la Gonâve,** véritable paradis des amateurs de natation et de plongée.

A partir de Taïno, une bonne route conduit aux Cayes, qu'on atteint en 2 h 30 environ. Riz et ignames sont cultivés en grande quantité le long du chemin.

Les Cayes, une des principales cités de Haïti, n'est pas particulièrement jolie ni inté-

74

ressante, mais elle possède une flottille de pêche composée de très beaux bateaux qui rappellent les *dhows*. Avec un peu de chance, vous pourrez louer des chevaux à CAMP-PERRIN, tout près des Cayes, pour visiter **Saut Mathurine.** Si les chevaux ne sont pas disponibles, faites une partie du chemin en voiture et finissez l'excursion à pied. Le caractère sociable des

Selon la légende, le peigne perdu par la belle Sirène, depuis longtemps maîtresse de ces eaux, rendra celui qui le trouvera heureux et fortuné.

habitants du coin les poussera certainement, mus par une amicale curiosité, à vous accompagner et à s'offrir pour porter vos affaires moyennant une faible somme. Les chutes, tombant d'une hauteur respectable, alimentent un bassin d'eau douce où il fait bon nager.

Des Cayes, vous pourrez pousser jusqu'à Port Salut et **Macaya Beach,** qui bénéficient d'installations touristiques. La plage de Macaya, étendue et calme, n'est guère recommandée pour la plongée sous-marine, car le sable fin troublant l'eau, il faut aller très loin pour apercevoir quelque chose. A marée basse, vous pourrez patauger jusqu'à la petite Île de Pointe-Sable, à quelque distance de la côte.

Au nord de Port-au-Prince, toute la longueur du littoral occidental est semée d'une succession de criques sablonneuses. La première, **Ibo Beach,** offre l'attrait supplémentaire d'être située sur Cacique Island, qu'en se frayant son chemin à travers un labyrinthe de palétuviers, le bateau met à 5 minutes de la côte.

Véritables livres d'images ambulants, les taps-taps vous conduiront où vous voudrez... sauf sur la mer.

C'est une excursion idéale pour passer la journée, ce qui explique l'affluence enregistrée pendant le week-end. En saison, un autocar part le matin et rentre le soir (renseignez-vous à votre hôtel). Ibo est parfaitement équipé en vestiaires, cabines, douches, piscines d'eau de mer, installations pour sports nautiques, minigolf, restaurants et boutiques. La nuit, on voit les lumières de Port-au-Prince clignoter de l'autre côté de l'eau.

Plus au nord, à environ une heure de la capitale, s'étend **Kyona Beach,** où sont aménagés des secteurs abrités permettant de se baigner dans le plus simple appareil. Les îles Arcadins, propices à la plongée, sont accessibles d'ici au terme d'une traversée de 30 minutes.

Viennent ensuite Kaloa (où les sports nautiques sont à l'honneur) et Ouanga Bay, situées à proximité du village de pêcheurs de Lully. Ce sont

eux qui prennent les délicieuses langoustes et le poisson frais servis dans la région. De XARAGUA, située à quelques kilomètres, des bateaux desservent aussi les îles Arcadins. L'ÎLE DE LA GONÂVE fait l'objet d'une excursion d'un jour. Si AMANI-Y-LES-BAINS n'est pas une plage recherchée par les amateurs de natation, elle offre en revanche des possibilités d'exploration sous-marine qui comptent parmi les plus spectaculaires des Antilles.

Cap Haïtien

«Cap», comme on l'appelle, est une des villes les plus fascinantes de Haïti. Plutôt tranquille, elle possède quelques curiosités architecturales et d'excellentes galeries. Cité haïtienne la plus chargée d'histoire, elle fut l'un des endroits les plus gais et les plus opulents du monde au temps de la présence française. Un programme de rénovation l'a dotée d'un excellent aéroport, d'une promenade en bordure de mer et de rues pavées qui n'ont pas altéré son charme désuet.

Pour accéder au palais de Sans Souci et à la Citadelle, il faut se rendre au village de MILOT, à 18 km de «Cap». Partez tôt, vers 7 ou 8 h, car des nuages annonciateurs de pluies tropicales s'amoncellent au-dessus des montagnes durant la matinée. Les bâtiments ferment à 18 heures. Mettez des chaussures solides et emportez chandail et chapeau. N'oubliez pas votre rouleau de pellicule; vous ne pourrez acheter à la Citadelle que des rafraîchissements.

Rien n'a été fait pour empêcher le palais de **Sans Souci** de tomber en ruines, ce qui n'est pas sans ajouter à son étrange beauté. Bâti en briques originellement enduites de stuc, le palais, orné d'un superbe escalier double, comportait trois étages; en comptant les dépendances, guérites et écuries, il couvrait près de 10 hectares.

Henri Christophe, qui en ordonna la construction, voulait en faire un nouveau Versailles, calqué sur le modèle du Sans Souci de Frédéric le Grand, à Potsdam. Au temps de sa splendeur, le palais regorgeait de miroirs, de tapisseries des Gobelins, de meubles et de tableaux. Des lustres en cristal étincelaient aux plafonds. Le sol était en marbre et les murs revêtus d'acajou indigène. Installé sous le rez-de-chaussée, un réseau de canalisations – précurseur de la climatisation – véhiculait l'eau fraîche d'un ruisseau de montagne, dont le circuit aboutissait à un jet d'eau.

Le parcours entre Sans Souci et la **Citadelle** comporte une portion routière assez éprouvante conduisant en un quart d'heure jusqu'à un parking automobile spécialement aménagé; de là, l'ascension s'effectue soit à pied, soit à dos de cheval. La location d'une monture inclut les services d'au moins trois hommes: un pour guider celle-ci, un second pour vous maintenir en selle et le dernier pour s'accrocher à la queue de l'animal et l'encourager de la voix! Des guides sont disponibles à votre hôtel, à l'aéroport et au parking.

Le crachin qui règne perpétuellement sur la montagne rend l'aventure encore plus exceptionnelle. En approchant, la Citadelle donne l'impression d'être suspendue dans la grisaille comme un cuirassé fantôme tacheté de lichens, couleur de rouille, appelés ici «sang de Christophe». Son titre de «huitième merveille du monde» n'est pas usurpé.

Commencée peu après la proclamation de l'indépendance, afin de repousser une éventuelle invasion des Français, la forteresse a été bâtie par 200 000 anciens esclaves. La majeure partie des travaux fut achevée en 1813. Cette tâche herculéenne aurait entraîné la mort de 20 000 personnes.

Des canons, d'origine anglaise, française et espagnole, sont alignés le long des remparts. Aucun n'a jamais servi. Des piles de boulets suintants s'amoncellent sur la pierre humide. Quatre galeries sont remplies de munitions du même genre. Sous le fort sont aménagés magasins, citernes et cachots. Des provisions étaient stockées en quantité suffisante pour permettre à la garnison de soutenir un siège durant une année. Quarante pièces servaient au logement du roi, de sa famille et de sa suite. La Citadelle pouvait abriter 2000 personnes!

De la **terrasse supérieure,** vous pourrez contempler le paysage splendide que forment montagnes et vallées. C'est à cet endroit que, dans un accès de mégalomanie, Christophe aurait ordonné à un peloton de soldats de sauter dans le vide, à seule fin d'impressionner un visiteur anglais.

Que cette histoire soit vraie ou non, la Citadelle n'en demeure pas moins un tribut à la vanité humaine. Au centre de la forteresse, le tombeau de Christophe porte cette épi- **79** taphe: «Ci-gît le roi Christophe, né le 6 octobre 1767 et mort le 20 octobre 1820, dont la devise fut : Je renais de mes cendres».

A Cap Haïtien même, les plans d'une autre forteresse ouverte au public, le **fort Picolet,** auraient été dressés par Vauban. Quoique plus modeste que la Citadelle, le fort demeure intéressant pour ceux qui désirent se faire une idée de la période coloniale française. On peut en dire autant des ruines du palais de Pauline Bonaparte (dans la rue qui porte son nom), la sœur de Napoléon, qui avait accompagné son mari, le général Leclerc, lors de sa malheureuse expédition à Haïti.

De belles plages s'inscrivent à l'ouest de la ville. Les deux plus accessibles sont celles de **Cormier,** qui comporte un bon hôtel et des installations touristiques, et de **Coco Beach,** qui n'est dotée d'aucun aménagement mais où le sable et la mer sont superbes.

A Coco Beach, il vous sera loisible de frêter une embarcation pour traverser la baie jusqu'à LABADIE, l'un des villages haïtiens les plus isolés. Ne croyez pas à du racisme si les habitants vous saluent d'un «Bonjour blanc!». *Blanc* signifie ici «étranger».

Que faire

Les sports. Les grands hôtels balnéaires du littoral occidental, au nord de Port-au-Prince, de même que ceux de Port-Salut et de Cormier, disposent d'un large éventail d'équipements sportifs: piscines, courts, *Sunfish* et *Sailfish* à louer, appareils de plongée. Depuis Ibo Beach, des séances de plongée sont organisées, sous la conduite de moniteurs, à Amani-y-les-Bains et aux îles Arcadins, où les fonds figurent parmi «les plus spectaculaires du monde». Sur le littoral méridional, les abords de l'île à Vache exceptés, la mer est trop houleuse. Au nord, les plongeurs expérimentés exploreront les épaves englouties à proximité de Cap Haïtien.

En outre, deux circuits partant de Port-au-Prince donneront aux débutants l'occasion de se familiariser avec la vie sous-marine. A Sand Cay, vous aurez le loisir de vous livrer à l'observation depuis une embarcation à fond transparent, à moins que vous ne revêtiez nageoires et masque. Si vous ne vous sentez pas

Haïti, un paradis sur terre, comme le disent si bien ses peintres naïfs.

Le vaudou

Loin d'être de la «magie noire», le vaudou est une religion animiste originaire d'Afrique, et il voisine à Haïti avec le christianisme. Les saints catholiques ont souvent des homologues vaudou.

La cérémonie vaudou est présidée par un *hougan* (prêtre) ou une *mambo* (prêtresse), assisté d'aides initiés, les *hounsi.* Ils dansent et chantent avec frénésie au rythme d'un tambour infatigable. La cérémonie se déroule généralement à l'intérieur d'une cour, dite *péristyle.*

Avant que la cérémonie ne commence, des motifs linéaires, ou *vévés,* sont tracés sur le sol à l'aide de farine de maïs ou de cendres, pour invoquer les *loas* (esprits). Dans une ambiance sans cesse plus bruyante et surexcitée, des branches incandescentes sont retirées du foyer pour que l'initié subisse l'épreuve du feu, possédé qu'il est par le *loa.*

encore assez sûr de vous, faites-vous remorquer jusqu'aux endroits intéressants en restant allongé sur un matelas pneumatique. L'excursion à Yellowbird comporte une séance de plongée libre.

Les achats. Nul doute que **tableaux** et **bois sculptés** ne vous séduisent, au même titre que les sculptures métalliques découpées dans des fûts de pétrole. Il existe des dizaines de galeries !

Au nombre des meilleures productions de l'**artisanat** figurent vannerie, broderie, marqueterie (bois ou corne) et petit mobilier. Autour de Jacmel, recherchez les robes, chemises et linge de table brodés. Le **rhum** et les boissons à base de rhum ne sont pas non plus des souvenirs à dédaigner.

Les distractions. Vous aurez le choix entre les habituels boîtes de nuit, discothèques et spectacles folkloriques des hôtels. Signalons que la danse nationale de Haïti s'appelle le *mérengué.* Haïti se déchaîne au moment du carnaval précédant le mercredi des Cendres.

Les amateurs de cinéma trouveront des salles projetant des films doublés en français et les joueurs des casinos. Dans la journée, on peut voir des combats de coqs à la *gaguère* de Port-au-Prince ou bien un peu partout dans le pays. Votre hôtel vous renseignera.

A Haïti, presque tous les visiteurs désirent assister à une cérémonie vaudou. Ce rituel complexe, avec ses symboles *vévés,* ses danses et ses chants, donne lieu à des représentations publiques.

Rafraîchissements tropicaux le jour, tambours et rituels vaudou la nuit.

La table, les vins. On trouve à profusion des langoustes et toutes sortes de poissons (tel le *lambi,* nom créole du *conch*), ces derniers entrant dans une variété de préparations succulentes et relevées. Les bananes *(plantains)* sont souvent servies frites, en guise de légume, et le *dion-dion,* un champignon noir, rehausse somptueusement le riz. En matière de viande, goûtez au *griot,* du porc bouilli, puis frit dans sa propre graisse. Essayez le pain de manioc, inconnu dans les hôtels, et le *mamba* (beurre de cacahuètes fraîchement pilées). Pour terminer le repas, laissez-vous tenter par les fruits tropicaux : *figues* (ici, bananes), corossol (anone écailleuse), cachiment (corossol hérissé), et bien d'autres...

Les cocktails sont légion et un grand nombre d'entre eux font appel au rhum. Pour accompagner votre repas, vous aurez le choix entre d'excellents vins d'importation et la bière locale. Après le savoureux café haïtien, commandez une liqueur parmi les spécialités au goût exotique.

Haïti en bref

Aéroport. L'aéroport international, à Port-au-Prince (situé à 13 km à l'est du centre-ville), constitue le principal accès au pays. Une taxe modique est réclamée au départ.

Courant électrique. 110 volts, 60 périodes.

Décalage horaire. Il est toute l'année de GMT −5 heures.

Formalités d'entrée. Les ressortissants suisses se muniront d'un passeport valide et les Canadiens d'une preuve de leur citoyenneté (acte de naissance, par exemple). Ils devront être en possession d'un billet de retour dans leur pays et rempliront sur place une carte de touriste. Le séjour maximal autorisé est de 30 jours. Pour des séjours plus longs, un visa est exigé. Quant aux Belges et aux Français, outre un passeport valable, ils devront posséder un visa.

Horaires. *Magasins:* de 8 h à 16 h en été, jusqu'à 17 h en hiver, du lundi au vendredi ; de 8 h à midi ou 14 h le samedi. *Banques:* de 9 h à 13 h du lundi au vendredi.

Hôtels. Ils sont principalement de première catégorie ou de luxe. La note comprend un service de 10% et une taxe officielle de 5%. Porteurs et **84** chasseurs s'attendent à un léger pourboire.

Jours fériés. 1er janvier (Anniversaire de l'Indépendance et Jour de l'an), 2 janvier (Fête des Ancêtres), carnaval (les trois jours précédant le mercredi des Cendres), Vendredi saint (mobile), 14 avril (Fête panaméricaine), 1er mai (Fête du Travail), Ascension (mobile), 18 mai (Fête du Drapeau et de l'Université), 22 mai (Fête de la Souveraineté), Fête-Dieu (mobile), 22 juin (Journée nationale d'action de grâce), 15 août (Assomption), 17 octobre (Anniversaire de la mort de Dessalines), 24 octobre (Fête des Nations unies), 1er novembre (Toussaint), 2 novembre (Jour des Morts), 18 novembre (Fête des forces armées), 5 décembre (Anniversaire de la Découverte), 25 décembre (Noël).

Location de voitures et conduite. L'aéroport est doté d'agences de location de voitures. Un permis international (ou canadien) valide est nécessaire. On roule à droite. Respectez une allure modérée et n'hésitez pas à klaxonner pour prévenir les piétons de votre approche. Des autoroutes relient Port-au-Prince à Cap Haïtien et aux Cayes. Quant aux routes secondaires, elles sont souvent éprouvantes; avant de vous déplacer en voiture, renseignez-vous au sujet de l'état des routes auprès de votre hôtel ou de l'office du tourisme.

Monnaie. L'unité monétaire est la *gourde,* divisée en 100 centimes. Le cours de la gourde est aligné sur celui du dollar américain depuis 1919. Les prix sont indiqués partout en dollars. Ceux-ci sont acceptés au taux invariable de 5 gourdes pour un dollar. Chèques de voyage et cartes de crédit sont honorés dans la plupart des hôtels et des magasins importants.

Office National du Tourisme

Haïti: avenue Marie-Jeanne, Port-au-Prince, tél. 2-1720

Canada: 44 Fundy, étage F, place Bonaventure, Montréal, Québec, H5A 1A9, tél. (514) 871-9897

Europe: A défaut d'une représentation touristique propre, adressez-vous à l'ambassade d'Haïti la plus proche. En **France:** 10, rue Théodule-Ribot, 75017 Paris, tél. (1) 47 63 47 78

Santé. Vous pouvez boire sans crainte l'eau servie en carafe dans les hôtels et les restaurants voués aux touristes, car elle est toujours saine. En revanche, il n'en est pas de même de l'eau du robinet ni de celle des cours d'eau. Tous les hôtels ont un médecin sous la main.

Transports. Le mode de locomotion le plus pratique est le taxi. Les véhicules n'étant pas équipés d'un compteur, entendez-vous d'avance avec le chauffeur sur le prix de la course (le réceptionnaire de votre hôtel vous conseillera). Il n'est pas d'usage de donner un pourboire. *Publiques* (taxis collectifs), *camionnettes* (minibus ouverts), et *taps-taps* (camions bariolés) sont très avantageux.

La république Dominicaine

La république Dominicaine, pays indépendant, occupe les deux tiers orientaux de l'île d'Hispaniola. Le pays est traversé par deux chaînes de montagnes, la Cordillera Central et la Cordillera Septentrional, qui abritent des vallées fertiles. Plaines et collines occupent le reste, et le Pico Duarte, le plus haut sommet des Antilles, atteint 3175 m d'altitude.

La république, dont la croissance économique fut une des plus stables d'Amérique latine, doit maintenant faire face à la récession et au chômage que celle-ci engendre. Elle fournit toujours du sucre aux Etats-Unis, produit du cacao, du café et du tabac et exploite des mines de nickel, d'or et de bauxite. L'ambre est une richesse de la côte septentrionale.

Saint-Domingue, la capitale, est la plus ancienne cité du Nouveau Monde. A proximité de La Romana, au sud, et de Puerto Plata, au nord, de magnifiques plages sablonneuses, dotées d'un éventail complet d'installations luxueuses, attirent les touristes.

Christophe Colomb découvrit l'île en 1492, alors peuplée par les Indiens Taïno. Son frère en devint gouverneur et son fils, Diego, vice-roi. De ma-

Les rues historiques de Saint-Domingue ne peuvent en aucun cas renier l'influence espagnole.

gnifiques édifices virent le jour et la colonie prospéra. Mais l'intérêt de l'Espagne se déplaçant graduellement en direction des terres plus fertiles de l'Amérique du Sud, Saint-Domingue déclina. Lorsque Francis Drake s'en empara en 1586, la ville se révélant trop pauvre pour payer la rançon qu'il en exigeait, il y mit le feu.

Les siècles suivants furent marqués par une brève occupation française, une série de révoltes qui aboutirent à l'indépendance, un retour au pouvoir des Espagnols, puis une période de domination haïtienne et finalement, en 1844, une nouvelle révolte qui

SAINT-DOMINGUE
VIEILLE VILLE

0   300 m

N

1 **Catedral Primada de América**
2 **Fortaleza**
3 **Torre del Homenaje**
4 **Hostal Nicólas de Ovando**
5 **Museo Casas Reales**
6 **Alcázar**
7 **Atarazana**
8 **Casa del Cordón**
9 **Ruinas de San Francisco**

conduisit à l'indépendance, mais non à la stabilité.

Les «marines» américains occupèrent le pays en 1916 et ne le quittèrent qu'en 1924. Le général Trujillo prit le pouvoir en 1930. Sa dictature se prolongea jusqu'à son assassinat, survenu plus de 30 ans après. L'instabilité, puis la guerre civile, aboutirent en 1965 à une seconde intervention militaire des Américains. Actuellement, cette république démocratique, peuplée de 6 millions d'habitants, est gouvernée par un président, un Sénat et une Chambre des députés, renouvelés tous les quatre ans lors d'élections libres.

Saint-Domingue
(Plus d'un million d'habitants)
La **vieille ville** de Saint-Domingue *(Santo Domingo)* renferme des monuments d'un rare intérêt historique.

Le cœur en est la **Catedral Primada de América,** Santa María la Menor, la plus ancienne cathédrale du Nouveau Monde. Achevée en 1540, elle est de style Renaissance à l'extérieur et gothique à l'intérieur. L'entrée principale est close par une énorme porte, pesant 2,5 tonnes, qui date de l'origine de la cathédrale.

L'intérieur contient les restes de Christophe Colomb, enfermés dans un **mausolée** massif réalisé en marbre et en bronze, que surmonte une statue du même alliage. La tombe est ouverte une fois par an, le 12 octobre, jour anniversaire de la Découverte.

Dans la première chapelle située à droite de l'autel, Francis Drake suspendit son hamac pour dormir, lors du séjour qu'il effectua dans l'île en 1586...

La chapelle du Saint Sacrement contient un splendide **autel** baroque en acajou dominicain et en argent.

La plus ancienne rue de la ville, **Calle Las Damas,** que bordent des constructions coloniales, doit son nom aux dames de compagnie de la belle-fille de Christophe Colomb, María de Toledo. Elle conduit à la Fortaleza Ozama, forteresse que domine l'imposante **Torre del Homenaje** (tour de l'Hommage). Construit au début du XVIe siècle, cet édifice carré, d'aspect sévère, renferme un escalier de bois en colimaçon. Les navires qui entraient dans le port étaient jadis salués du haut de la tour – qui tire son nom de cette particularité.

En suivant la Calle Las Damas en direction du nord, vous rencontrerez sur votre droite l'**Hostal Nicolás de Ovando,** belle maison du XVIe

RÉPUBLIQUE DOMINICAINE

siècle, englobée dans un hôtel. Sa porte est considérée comme un admirable spécimen du gothique Isabelle.

Le **Museo de las Casas Reales** (musée des Maisons royales), situé dans la même rue, lui est diagonalement opposé. Vous remarquerez l'élégante entrée ornée des armoiries de Charles Quint. Le musée mérite une visite pour la richesse de ses documents relatifs aux premiers temps de l'histoire dominicaine, au nombre desquels figurent des vestiges de la civilisation indienne et les modèles réduits des navires de Christophe Colomb.

L'**Alcázar,** château qui se dresse sur une légère éminence, fut construit vers 1510 à l'intention de Diego Colomb. Parfaitement restauré, il abrite un musée de premier ordre où sont exposés mobilier, tapisseries, peintures, instruments de musique, ainsi qu'un très beau relief flamand du XVIe siècle, *La mort de la Vierge.*

Situé juste derrière, l'**Atarazana,** constitué de huit édifices du XVIe siècle, représente un des plus anciens centres commerçants du Nouveau Monde. Aujourd'hui, galeries, boutiques et restaurants se sont installés dans ce charmant quartier colonial.

Au-dessus de l'entrée de la **Casa del Cordón** (maison de la Corde), figure la ceinture de saint François, sculptée dans la pierre. C'est ici que les riches dames de la ville vinrent faire peser les bijoux dont elles se dépouillaient pour rassembler la rançon exigée par Francis Drake.

A l'extrémité de la Calle Emiliano Tejera s'élèvent les **Ruinas de San Francisco,** probablement le plus ancien monastère du Nouveau Monde. Sa consécration à saint François est de nouveau signalée par un délicat bas-relief figurant la cordelière blanche, l'emblème de l'ordre franciscain.

La ville moderne dégage une atmosphère complètement différente. D'impressionnants bâtiments dernier cri ornent la **Plaza de la Cultura.** Parmi eux se distinguent le Teatro Nacional, en marbre et acajou et la grise Galería de Arte Moderno (musée d'Art moderne). Une forêt de sculptures contemporaines se dresse devant sa façade. Le **Museo del Hombre Dominicano** (musée de l'Homme do-

Tout ici concorde à l'harmonie: architecture aérée et pleine de grâce, peuple aux gestes élégants.

minicain), mérite une visite, car il renferme une excellente collection d'objets façonnés, de colliers, de parures et d'amulettes précolombiens, ainsi que des témoignages de l'époque coloniale.

A la limite septentrionale de la ville, s'étend le **Jardin botanique,** l'un des plus grands du monde ; le **zoo** voisin recèle une immense cage en plein air qui héberge près de 4000 oiseaux.

Un court et agréable trajet routier dans la direction de l'aéroport vous mènera en 20 minutes à **Los Tres Ojos de Agua** (les «trois yeux d'eau»), un trio de bassins à l'eau turquoise dans une grotte naturelle souterraine.

Plus loin au sud-est commence une succession de belles plages, où l'eau est peu profonde et le sable fin : **Boca Chica, Juan Dolio** et **Guayacanes.**

La Romana

La région se consacrait jadis à l'industrie sucrière. Bien que la sucrerie – l'une des plus grandes du monde – soit toujours en activité (on peut d'ailleurs la visiter), le nom de La Romana est davantage lié de nos jours à l'industrie touristique. Située à 112 km de Saint-Domingue, cette ville n'en dispose pas moins d'une piste d'atterrissage où peuvent se poser les longs courriers.

Un immense complexe touristique, admirablement conçu, s'est développé à proximité : **Casa de Campo.** Les plages y sont excellentes et on peut y pratiquer tous les sports imaginables.

Altos de Chavón, installé sur un plateau d'où l'on jouit du panorama de la rivière Chavón, est un village d'artistes dont l'architecture imite celle de l'Espagne du XVe siècle.

Le Nord

L'excellente autoroute qui conduit jusqu'au littoral septentrional passe non loin des villes de CONSTANZA et de JARABOCOA, sises sur les hauteurs fraîches de la Cordillera.

Santiago, ou Santiago de los Treinta Caballeros, est la seconde ville du pays avec une population de 350 000 habitants; c'est aussi la capitale de la fertile région d'El Cibao. La ville a été fondée par 30 gentilshommes qui lui attribuèrent le nom de leur patron, saint Jacques. En 1562, elle fut détruite par un tremblement de terre, non sans qu'un mystérieux moine eût surgi pour avertir les justes du péril.

Centre musical et chorégraphique, Santiago serait aussi le berceau du populaire *mérengué*.

A Casa de Campo, on peut se rafraîchir dans l'eau de la piscine, au bar de la paillote, ou vice versa.

Puerto Plata, sur la côte d'Ambre, possède quelques-unes des plages les plus attrayantes qui se puissent imaginer. La ville, qui jouit d'une grande vogue touristique, dispose d'un aéroport international. Les passagers débarquant des navires de croisière pénètrent entre les murs de la forteresse **San Felipe,** bâtie dans le but de protéger le pays contre les Indiens caraïbes et les pirates anglais. Comme la plupart des monuments de l'île datant du XVIᵉ siècle, elle a été parfaitement restaurée.

L'une des nombreuses séductions de Puerto Plata réside dans son architecture, où

se mêlent le style colonial espagnol et le style victorien. Christophe Colomb lui a donné son nom, qui signifie «port d'argent», et y a introduit la canne à sucre. La région est également réputée pour ses mines d'ambre.

Prenez un des funiculaires rouges pour grimper au sommet du mont Isabel de Torres (782 m), du haut duquel une gigantesque statue du Christ rédempteur étend ses bras protecteurs au-dessus de la ville et du port.

A l'est, **Playa Dorada** offre un parcours de golf tracé par Robert Trent et de luxueuses installations touristiques. Plus à l'est, **Sosúa** est située sur une charmante baie où se sont fixés, dans les années 30, des réfugiés juifs. Spécialités de la ville: la viande fumée et les produits laitiers. N'oubliez pas, non plus, le **Gri Gri Lagoon,** qu'on peut explorer en bateau à partir de Rio San Juan. A 15 km à l'est de Sosúa, **Cabarete Beach** passe pour le paradis des planchistes. Ses nombreux petits hôtels et pensions accueillent une clientèle de «fanas» de sport.

Plus à l'est encore, les habi-tants du charmant port de pêche de **Samaná** parlent anglais. Ce sont en effet les descendants d'esclaves noirs qui fuirent l'Amérique pour venir s'installer dans une péninsule longtemps isolée du reste du pays. Bien qu'ils soient arrivés en 1824 déjà, ils parlent toujours la langue de leurs ancêtres, un anglais suranné, teinté d'accent sudiste.

Que faire
Les sports. Les occasions de plongée, avec ou sans bouteille, sont excellentes autour de La Caleta; pour le canotage et la voile, il faut aller à Saint-Domingue et à La Romana; la pêche hauturière se pratique en particulier à La Romana, à Barahona, à Puerto Plata et à Samaná; sans parler de la natation et des bains de soleil, populaires partout.

Il existe de remarquables installations pour le tennis dans tous les centres touristiques et pour le golf au Country Club de Saint-Domingue, à La Romana (deux parcours de 18 trous), à Puerto Plata et à Jarabacoa (parcours de 9 trous). Si vous êtes un fervent, vous pouvez même prendre pension dans un club de tennis ou de golf.

La tradition équestre léguée par l'Espagne se perpétue et on

A Santiago, le commerce de poulets vivants se pratique couramment...

Le tir aux pigeons se pratique de juillet à octobre. Adressez-vous à l'office du tourisme pour tous renseignements.

Les spectacles sportifs abondent. Le base-ball est le plus populaire, mais basket, boxe, hippisme et combats de coqs sont également répandus.

Les achats. Objets façonnés et tissage font partie de la tradition du pays et l'acajou en est l'un des trésors. Les bijoux d'ambre (très répandu ici) ou de larimar – la «turquoise dominicaine» –, belle pierre bleue souvent sertie d'argent, attireront bien des visiteurs.

La table et les distractions. Tout ici revêt un caractère espagnol, du *mérengué* aux vêtements (élégants et de bon goût) et à la nourriture.

Parmi les en-cas typiques, signalons les *quipes,* sorte de sandwiches d'origine arabe; les *catibías,* yuccas frits et les *pastelitos,* bouchées à la viande (au poisson pendant le Carême). Pour le dessert, outre les fruits tropicaux, essayez le *dulce de leche,* une friandise à base de lait.

Après dîner, vous aurez le choix entre les boîtes de nuit et les bars, qui proposent attractions et jeux. Saint-Domingue possède quatre casinos.

peut assister à divers concours et tournois. Les amateurs d'équitation pourront fréquenter les terrains de polo de Sierra Prieta à Saint-Domingue et de Casa de Campo à La Romana; Playa Dorada dispose d'un manège. Des pistes cavalières ont été tracées à Playa **96** Grande.

La république Dominicaine en bref

Aéroports. Il y a deux aéroports internationaux: celui de Las Américas, à Saint-Domingue (à 25 minutes en voiture du centre-ville) et La Union, sur la côte nord, qui dessert la région Puerto Plata/Playa Dorada/Sosúa (20 minutes à l'est de Puerto Plata, 15 minutes à l'ouest de Sosúa).

Courant électrique. 110 volts, 60 périodes.

Décalage horaire. Il correspond toute l'année à GMT−4 heures.

Formalités d'entrée. Les ressortissants français, belges et suisses doivent être munis d'un passeport valable (les Canadiens, d'un document établissant leur domicile légal) ainsi que d'une carte de touriste, délivrée par leur compagnie aérienne.

Horaires. *Magasins:* de 8 h 30 à midi et de 14 h 30 à 18 h, du lundi au samedi. *Bureaux:* de 8 h à midi et de 14 h à 18 h du lundi au vendredi. *Banques:* de 8 h à 12 h 30. De plus en plus, banques et commerces font la journée continue, en particulier dans les zones touristiques.

Hôtels. Ils ressortissent à toutes les catégories et il est possible sur certaines plages de louer des bungalows. La note comporte un service de 10% et une taxe officielle de 5%. Portiers et chasseurs attendent un léger pourboire.

Jours fériés. 1er janvier (Jour de l'an), 21 janvier (Fête de Notre-Dame d'Altagrasia), 26 janvier (Anniversaire de la naissance de Duarte), 27 février (Anniversaire de l'Indépendance), Vendredi saint (mobile), 1er mai (Fête du Travail), Fête-Dieu (mobile), 16 août (Anniversaire de la Restauration), 24 septembre (Fête de Notre-Dame de la Miséricorde), 25 décembre (Noël).

Location de voitures et conduite. Diverses firmes locales et internationales de location de voitures entretiennent des bureaux à l'aéroport de Las Américas et dans la capitale. On roule à droite. Les stations-service sont ouvertes tous les jours de 6 h à 18 heures.

Monnaie. Le *peso* dominicain est divisé en 100 *centavos*. Il est illégal de changer de l'argent ailleurs que dans les banques et les hôtels. En repartant, les touristes peuvent reconvertir, jusqu'à concurrence de 30%, les *pesos* acquis légalement. De toutes les devises, c'est le dollar américain qui bénéficie du meilleur taux de change. Chèques de voyage et cartes de crédit sont acceptés dans les hôtels, les restaurants et dans bon nombre de magasins.

Offices du Tourisme
(Centre dominicain d'information touristique)

République Dominicaine: Secretaria de Estado de Turismo, Calle César Nicolas Penso esq. Rosa Duarte, Santo Domingo, tél. (809) 688-5537

Europe: Voelckerstrasse 24, 6000 Francfort/Main, tél. (069) 597 03 30.

Santé. Ne buvez pas l'eau du robinet; l'eau en carafe servie dans les hôtels et les restaurants touristiques est saine, contrairement à celle des restaurants de moindre importance.

Transports. Les autobus de Saint-Domingue sont sûrs et bon marché, mais souvent bondés. Certains cars longs courriers sont climatisés. Des taxis stationnent auprès de la plupart des hôtels. Certains taxis (dits *públicos*) effectuent des parcours déterminés à l'intérieur de la capitale et dans d'autres grandes villes. Les véhicules n'étant pas équipés d'un compteur, il est préférable de s'entendre d'avance sur le prix de la course (le réceptionnaire de votre hôtel vous renseignera). Les chauffeurs n'attendent pas de pourboire.

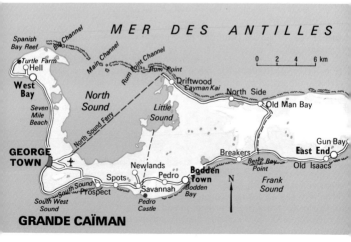

Les îles Caïmans

Assoupies, paisibles et anglaises jusqu'au bout des ongles, les îles Caïmans ponctuent la mer à environ 290 km au nord-ouest de la Jamaïque. Tout s'y passe pour le mieux sous la houlette d'un gouverneur britannique; le portrait d'Elisabeth II orne tous les bureaux.

Les trois îles Caïmans *(Cayman Islands)* – dont la plus étendue est Grande Caïman, les autres, de moindre importance, ayant nom Caïman Brac et Petite Caïman – sont restées ignorées durant la plus grande partie de leur histoire. Les choses ont changé avec le tourisme. Par ailleurs, les îles sont devenues un paradis financier – accueillant plus de 500 banques. Il n'existe aucune sorte d'impôt. En conséquence, les entreprises à caractère international y prospèrent, phénomène qui a entraîné une formidable expansion économique.

En dépit de leur richesse et de l'afflux croissant des touristes, ces îles ont conservé leur rythme paisible. Les Américains s'y sentent chez eux, car l'influence des Etats-Unis s'y fait fortement sentir.

Christophe Colomb, à qui est évidemment due la découverte de ces îles (en 1503), observant que «la mer était remplie de tortues», nomma l'archipel Las Tortugas. Par la suite, nombreux furent les navires qui vinrent s'approvisionner en chair de tortue dans ces eaux. Pour une raison inconnue, les îles furent rebaptisées *Caymanas,* mot caraïbe signifiant «caïmans». Les tortues sont aujourd'hui les pensionnaires choyées d'une ferme d'élevage. Quant aux alligators – des iguanes? –, on n'en trouve nulle trace.

Selon la légende, les premiers colons furent deux déserteurs de l'armée de Cromwell, nommés Bodden et Watler, patronymes que l'on retrouve aujourd'hui partout dans l'archipel. Les îles ont été fréquentées par les pirates, qu'attirait l'isolement de Grande Caïman et sa parfaite absence de relief qui la rendait pratiquement indiscernable sur l'horizon et en faisait un repaire idéal. La mer a toujours dominé la vie des Caïmaniens, qui ont la réputation d'être d'excellents marins.

En 1863, le gouverneur et l'assemblée de Jamaïque reçurent certaines prérogatives dans l'archipel. Quand la Jamaïque revendiqua son indépendance en 1962, les Caïmans choisirent le statut de colonie de la Couronne **99** britannique. On estime qu'aujourd'hui les insulaires jouissent de l'un des revenus par tête les plus élevés des Antilles. Les prix y sont également élevés, étant donné que presque tout doit être importé. Nous nous attacherons plus spécialement à Grande Caïman, la plus accessible des îles de l'archipel.

Grande Caïman
(14 000 habitants)
GEORGE TOWN, la capitale, est une ville très calme quoique prospère. Il n'y a pas grand-chose à voir et, bien qu'il soit agréable de déambuler dans ses rues au cordeau (où les voitures s'arrêtent pour vous laisser passer), vous ne tarderez probablement pas à prendre le chemin du nord pour rejoindre **Seven Mile Beach** (6 *miles* en réalité, soit 10 km), avec ses grands hôtels et son sable immaculé que baigne une mer d'un bleu tentant.

Poursuivez dans la même direction, le long du littoral; vous atteindrez ainsi **Green Turtle Farm,** la seule ferme d'élevage de tortues vertes du monde. Elle assure licitement le ravitaillement en produits issus de ce chélonien, tels que viande, cuir et écaille, et contribue également à la protection de cette espèce menacée.

Après quoi, il ne vous restera plus qu'à «aller en enfer», à HELL, qui présente des formations calcaires très découpées. La principale activité de l'endroit? la vente de cartes postales timbrées, que vous glisserez dans une boîte, histoire de prouver que vous êtes bel et bien... allé en enfer!

A l'est de George Town, la route rejoint Pedro Castle, élevé par un Anglais qui débarqua dans l'archipel en 1765. La chronique locale l'associe également, mais sans preuves, avec le pirate Henry Morgan et un aventurier espagnol du nom de Pedro Gómez, qui vécut au XVIIe siècle.

A East End, l'écume jaillit comme un geyser entre les rochers déchiquetés par la mer et, au large, gisent des myriades d'épaves. Il en a été dénombré au moins 325 dans les

A George Town les coins pour faire trempette ne manquent pas.

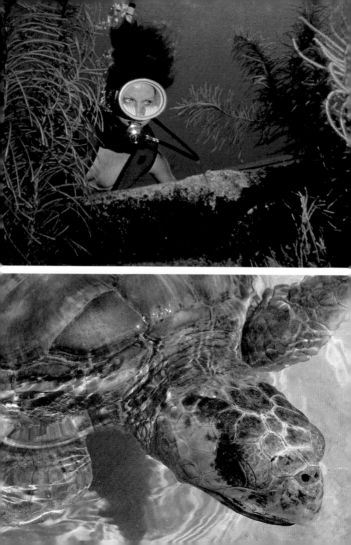

parages de Grande Caïman et toutes n'ont pas été victimes des éléments. Au large du littoral oriental, la plus au sud est celle du *Ridgefield,* parfaitement visible de la route. Quoique le bateau ait été pratiquement vide au moment où il s'est jeté sur un récif en 1943, on trouva tout de même à bord cent caisses de bière.

La route centrale de Grande Caïman, qui oblique sur la gauche peu après Betty Bay Point, file d'abord vers le nord pour conduire ensuite aussi loin à l'ouest que Cayman Kai et Rum Point. Le littoral de sable fin a été loti et de ravissantes maisons s'y sont élevées. Les jardins regorgent d'essences variées (que ne pousse-t-il pas dans le sable!) et les villégiatures confinent au luxe.

Que faire

Les sports. La natation se pratique dans d'excellentes conditions, de même que la plongée libre ou avec bouteille. Pour vous livrer à la photographie sous-marine, allez à Spanish Bay Reef où vous trouverez équipement et conseils.

Au-delà des récifs s'étend le domaine des grands poissons: thon rouge, makaire et *wahoo.* Bonite, sériole et barracuda s'approchent plus près de la côte. En deçà des récifs, vous «taquinerez» l'épinéphèle et le lutjanide. Vous pourrez louer un bateau.

Les achats. Les boutiques vendent hors taxes des articles de luxe provenant du monde entier. On y trouve cristallerie, orfèvrerie, parfumerie, appareils de photos et lainages.

Les bijoux de corail, rose ou noir, sont plus typiques de l'archipel; élégants, ils sont souvent sertis dans des montures d'or rehaussées de pierres précieuses et d'écaille.

Les distractions. Elles sont naturellement paisibles – ce qui en fait d'ailleurs le charme, car elles permettent de lier connaissance. Le visiteur a le choix entre dîner dehors (les spécialités sont la «bouillabaisse» de coquillages, le steak de tortue et le gâteau feuilleté au fruit de l'arbre à pain), danser, écouter de la musique ou voir un film.

Chaque année, les Caïmaniens honorent la mémoire des boucaniers lors de la Semaine des Pirates (généralement fin octobre). Défilés, banquets, chasses au trésor, concours de décorticage de noix de coco et croisières de pirates se succèdent. Au surplus, un pseudogouverneur se laisse «capturer» pour rire et un grand bal clôture la fête.

Iles Caïmans en bref

Aéroports. L'aéroport international Owen Roberts est l'aéroport principal de Grande Caïman. La correspondance pour les îles n'est assurée qu'au départ de Miami, de la Jamaïque, du Costa Rica et de Belize. Les trois îles sont reliées entre elles par des services aériens locaux.

Décalage horaire. Il correspond toute l'année à GMT–5 heures.

Formalités d'entrée. Les ressortissants européens devront présenter un passeport valide et leur billet de transit ou de retour. Cette dernière condition doit aussi être remplie par les Canadiens qui, eux, ne se muniront que d'une pièce d'identité.

Horaires. La plupart des *magasins* ouvrent de 8 h 30 à 17 h du lundi au samedi (certains supermarchés jusqu'à 21 ou 22 h les vendredi et samedi). Les *banques* sont ouvertes de 9 h 30 à 15 h du lundi au jeudi, jusqu'à 17 h le vendredi.

Hôtels. Les possibilités de logement sont très diverses. La note d'hôtel comporte une taxe officielle de 5% et beaucoup d'établissements y ajoutent un service de l'ordre de 10 à 15%.

Jours fériés. 1er janvier (Jour de l'an), mercredi des Cendres (mobile), Vendredi saint (mobile), Lundi de Pâques (mobile), 21 mai (Anniversaire de la Découverte), 11 juin (Anniversaire de la Reine), 2 juillet (Fête de la Constitution), 12 novembre (Journée du Souvenir), 25 et 26 décembre (Noël).

Location de voitures et conduite. Les agences vous délivreront un permis temporaire sur présentation de votre permis de conduire. Ici, on roule à *gauche*.

Monnaie. L'unité monétaire est le dollar des îles Caïmans, divisé en 100 *cents*. La plupart des magasins acceptent les dollars américains et canadiens, de même que chèques de voyage et cartes de crédit.

Offices du tourisme. Iles Caïmans: Department of Tourism, P.O. Box 67, George Town, Grand Cayman, B.W.I, tél. 9-4844. **Canada:** Earl B. Smith, Travel Marketing Consultants, 11 Adelaide Street, Suite 406, Toronto, Ont. M5H 1L9, tél. (416) 362-1550. **Europe:** Cayman Islands News Bureau, Hambleton House, 17 B Curzon Street, Mayfair, Londres W1Y 7FE, tél. (01) 493-5161.

Transports. Les taxis, à tarif fixe, constituent le mode de locomotion le plus commode dans les trois îles. Sur Grande Caïman, un service de bus bon marché dessert Seven Mile Beach, George Town et West End.

BERLITZ-INFO

Comment y aller

PAR AIR (vols réguliers)

JAMAÏQUE

Au départ de la Belgique. Faute de services directs, vous devrez gagner d'abord Londres, d'où la correspondance est assurée plusieurs fois par semaine pour Kingston; comptez de 13 à 16 h de voyage.

Au départ du Canada (Montréal). Vous avez trois liaisons quotidiennes avec Kingston, mais avec changement à Toronto, ce qui donne de 6 à 8 h de voyage. Montréal et Montego Bay sont reliés par vols directs (en 4 h 20 min), deux fois par semaine, pas toute l'année cependant, tandis que, de Toronto, il existe trois liaisons par jour.

Au départ de la France (Paris). A défaut de services directs, vous passerez par Londres ou Miami, reliés à Kingston plusieurs fois par semaine; changement compris, comptez de 13 h à 15 h 20 min.

Au départ de la Suisse romande. Là encore, il vous faudra d'abord gagner Londres, d'où la correspondance pour Kingston est assurée plusieurs fois par semaine; escales comprises, prévoyez de 14 h 15 min à 16 h 30 min selon les jours.

Ligne Londres–Jamaïque. Quatre fois par semaine, Kingston est relié à la capitale britannique, *via* Montego Bay ou Nassau (Bahamas), en 13 h environ; deux services directs, chaque semaine, à destination de Montego Bay en 10 h 15 min.

Il est également possible de passer par la côte orientale des Etats-Unis (New York, Miami), surtout si l'on veut gagner directement Montego Bay. (La liaison est quotidienne.)

HAÏTI

Au départ de la Belgique. Le mieux est de gagner Paris (voir ci-dessous).

Au départ du Canada (Montréal). Vous avez un vol direct par semaine en 4 h 20 min.

Au départ de la France. Port-au-Prince est desservi une fois par semaine au départ de Charles-de-Gaulle, avec escale (sans changement) à Pointe-à-Pitre, en 12 h environ.

Au départ de la Suisse romande. Votre intérêt est également de passer par Paris (Charles-de-Gaulle), voire par la côte est des Etats-Unis.

RÉPUBLIQUE DOMINICAINE

Au départ de la Belgique. Jusqu'à six vols par semaine, *via* Madrid, partent de Bruxelles (durée: de 10 h à 15 h 30 min suivant les jours).

Au départ de la France. De Paris, les deux liaisons hebdomadaires font escale à Fort-de-France ou à Pointe-à-Pitre (durée: 12 h environ).

Au départ de la Suisse romande. Vous transiterez par Paris (en 14 h 15 min au total), Madrid (entre 12 h et 16 h 30 min), voire New York.

RÉPUBLIQUE DOMINICAINE et ILES CAÏMANS

La première est desservie plusieurs fois par semaine au départ de Miami et de New York, alors que la Grande Caïman est reliée par plusieurs vols hebdomadaires à Atlanta, à Houston, à Miami et à New York.

Ligne Jamaïque–Haïti. Un service est assuré deux fois par semaine.

Tarifs spéciaux. *Au départ de l'Europe.* Vous pourrez profiter du tarif excursion (séjours de 14 jours à trois mois), du tarif PEX (de validité identique) ou, au départ de Paris, du tarif «visite» (séjours de 7 à 60 jours), encore plus avantageux. Si vous passez par Londres, notez qu'il existe un tarif SUPER APEX (séjours de 7 jours à six mois). *Au départ du Canada.* Vous sont proposés les tarifs excursion (séjours de 7 jours à un an) et APEX (d'une validité de 7 à 21/30 jours).

Charters, vols spéciaux et voyages organisés. Outre de nombreux vols spéciaux (directs), divers vols charter desservent la Jamaïque depuis l'Angleterre; au départ de la Suisse et de la France, il y a des vols charters à destination de la République dominicaine. Sur le plan des voyages organisés depuis l'Europe, nombre de possibilités sont offertes, comprenant le voyage évidemment (vol spécial ou de ligne; dans certains cas avec transit par Miami), l'hébergement (plusieurs formules prévues), les transferts, etc. Des séjours libres et des circuits organisés sont également proposés. En outre, des forfaits croisières sont offerts, au départ de Paris en particulier; la croisière proprement dite commence à Miami, où l'on peut embarquer sur le *France,* devenu *Norway*... Sur place, il est aussi possible de louer de grands voiliers et de partir à l'aventure.

Quand y aller

Bien entendu, le climat est tropical, au moins sur les côtes, et plus tempéré dans l'intérieur. La saison va approximativement du 15 décembre au 15 avril; c'est en tout cas la période relativement sèche et «fraîche», celle où les touristes sont légion et où tout est plus cher. Mais peut-être pourriez-vous voyager hors saison. D'ailleurs, la température étant plutôt stable, l'été n'est guère plus chaud que l'«hiver». Certes, il y fait plus humide, mais les pluies consistent généralement en de belles averses, donc (heureusement) brèves, tombant l'après-midi.

Pour équilibrer votre budget...

Pour vous donner une idée du coût de la vie en cette région, voici une petite liste de prix moyens pratiqués dans les zones touristiques de la Jamaïque. Les prix cités n'ont qu'une valeur approximative. A noter que le dollar jamaïquain (J$) a seul cours légal, même si, pour plus de commodité, certains prix ci-dessous sont libellés en dollars américains (U.S.$).

Aéroport. *Taxe d'embarquement:* J$100. *Transferts:* en voiture JUTA de Donald Sangster International Airport (Montego Bay) aux hôtels de Gloucester Avenue: U.S.$8 par véhicule (jusqu'à 5 personnes, selon bagages). Du même aéroport aux hôtels de Rose Hall: U.S.$15 à Negril U.S.$60, à Runaway Bay U.S.$60, à Ocho Rios U.S.$90, à Port Antonio U.S.$170.

Coiffeurs. *Dames:* shampooing, soins et brushing J$110. *Messieurs:* shampooing, coupe et brushing J$110.

Hôtels (chambre à 2 lits avec bains, en hiver). U.S.$180 par personne et par nuit. Forfait U.S.$2200 par chambre par semaine.

Location de voitures. Les tarifs varient de U.S.$70 par jour (kilométrage illimité) pour une petite voiture avec boîte de vitesses mécanique à U.S.$720 par semaine pour une voiture de luxe avec boîte automatique et climatisation. Certaines firmes consentent un rabais aux clients qui ont réservé leur véhicule à l'avance.

Repas (boissons et pourboire inclus). Etablissements à prix modérés, mais de bon niveau: déjeuner J$150, dîner à partir de J$250 grands restaurants: déjeuner J$280, dîner à partir de J$500.

Sports nautiques. Petit voilier à partir de U.S.$8 l'heure, planche à voile U.S.$8 l'heure, scaphandre autonome (équipement complet) U.S.$75 par plongée, bateau à fond en verre U.S.$15 les 45 min par personne; croisières U.S.$45 (dîner inclus) les 3 h par personne, pêche hauturière (y compris équipage et appâts; participation minimale: 4 personnes) U.S.$70 par personne.

Taxis (sans compteur; en ville). Des hôtels de New Kingston au centre de Kingston env. J$80, de Norman Manley Airport à New Kingston J$300.

Villas (2 chambres à coucher, avec personnel de 3 personnes). En moyenne U.S.$1000 par semaine, selon le lieu.

Informations pratiques classées de A à Z pour un voyage agréable

Pour tous renseignements concernant Haïti, la république Dominicaine et les îles Caïmans, se reporter respectivement aux pages 84, 97 et 104.

AÉROPORTS *(airport)*. La Jamaïque dispose de deux aéroports internationaux.

L'aéroport **Norman Manley** (dit aussi Palisadoes) est la voie d'accès la plus commode pour rallier Kingston, Port Antonio, la partie orientale de l'île et Mandeville. Un autobus dessert la capitale, mais la plupart des visiteurs préfèrent accomplir ce trajet de 16 km en taxi (environ 20 minutes). New Kingston, le secteur des hôtels, est à 22 km de l'aéroport.

L'aéroport **Donald Sangster,** à Montego Bay, sert de plaque tournante pour le littoral septentrional et la partie occidentale de l'île. La distance qui sépare le terminal de la ville peut être parcourue en 5 minutes soit en bus, soit en taxi.

Ces deux aéroports modernes, qui offrent évidemment tous les services usuels, sont dotés de restaurants, de bars et de kiosques où acheter journaux et souvenirs de dernière minute. Des porteurs à casquette rouge se chargeront de vos bagages, moyennant un prix fixe par valise, à moins que vous ne préfériez utiliser un chariot. Des centres d'accueil (chargés de renseigner les voyageurs) fonctionnent lors de l'arrivée de la plupart des vols prévus. Il vous faudra changer de l'argent à l'aéroport pour pouvoir payer le prix du transport en bus ou en taxi jusqu'à votre hôtel.

Les passagers en partance sont tenus de payer une taxe d'embarquement.

D'où part le bus pour...?   **Where's the bus to...?**

ARGENT

Paiements. En Jamaïque, toutes les transactions doivent être effectuées au moyen de dollars jamaïquains.

A **Monnaie.** En 1969 est apparu le dollar jamaïquain (J$), divisé en 100 *cents*. Les billets de banque, dont les médaillons représentent divers héros nationaux, existent en coupures de: 1, 2, 5, 10, 20, 50 et 100 J$. Les pièces de 1, 5, 10, 20, 25 et 50 cents s'ornent du blason de la Jamaïque ou d'autres motifs locaux.

Au sujet des restrictions monétaires, voir Douane et Formalités d'entrée.

Horaire des banques. De 9 h à 14 h, du lundi au jeudi; de 9 h à 16 ou 17 h le vendredi; certaines ferment à l'heure du déjeuner.

Change. Le dollar jamaïquain a seul cours légal dans l'île et toutes les factures doivent être établies en monnaie locale. Les visiteurs sont priés de changer leurs devises dans les banques ou les bureaux de change situés dans les deux aéroports internationaux, aux embarcadères des bateaux de croisières et dans presque tous les hôtels. Réclamez un reçu à chaque transaction et gardez-le. Vous en aurez besoin si vous devez reconvertir vos dollars jamaïquains au moment du départ.

Chèques de voyage et cartes de crédit. Il est préférable de disposer de chèques de voyage libellés en dollars américains.

Les principales cartes de crédit et les chèques de voyage sont honorés sans difficulté, en particulier dans les hôtels, les restaurants et les bureaux de location de véhicules.

Combien cela coûte-t-il?	**How much is it?**
Avez-vous quelque chose de moins cher?	**Have you something less expensive?**

ASSISTANCE LÉGALE. Au cas où vous vous trouveriez impliqué dans un incident ou un accident grave, en particulier s'il y a des blessés, prenez un avocat le plus rapidement possible. Votre représentant diplomatique sera probablement en mesure de vous recommander un homme de loi.

AUTO-STOP *(hitch-hiking).* L'auto-stop est déconseillé aux touristes.
110 Il est déconseillé de prendre des inconnus en auto-stop.

BLANCHISSERIE et TEINTURERIE. Certains hôtels se chargent du nettoyage dans la journée, à la condition que vous vous arrangiez pour faire prendre vos vêtements suffisamment tôt. Sinon, il faut compter 24 ou même 48 heures. En ville, les entreprises locales proposent des tarifs inférieurs, mais des délais plus longs.

Quand est-ce que ce sera prêt?	**When will it be ready?**
J'en ai besoin pour demain matin.	**I must have this for tomorrow morning.**

CAMPING. Les sites ne faisant l'objet d'aucune surveillance, le camping est déconseillé. Si vous tenez vraiment à camper, choisissez l'un des terrains (homologués) suivants: Negril Lighthouse Park à Negril, Damali Beach Village à Montego Bay, Maya à Kingston, Humming Bird Haven à Ocho Rios, Crystal Springs à Port Antonio.

CARTES et PLANS. Des cartes figurent sur les dépliants hôteliers et publicitaires, ainsi que dans *The Gleaner's Tourist Guide,* journal édité à l'intention des touristes et distribué gratuitement dans la plupart des hôtels. Les compagnies de location de voitures fournissent gratuitement des cartes à leur clientèle. Le ministère du Tourisme de la Jamaïque vend à un prix modique des cartes plus fidèles et détaillées, également en vente dans les boutiques de cadeaux et les librairies. On trouve aussi des documents cartographiques dans les stations-service.

un plan de la ville de...	**a street plan of...**
une carte routière de la région	**a road map of the country**

CIGARETTES, CIGARES, TABAC *(cigarettes, cigars, tobacco).* Les marques internationales de cigarettes de fabrication locale sont en vente dans les boutiques des hôtels, les supermarchés et les pharmacies, et à des prix nettement inférieurs à ceux des cigarettes importées. Les amateurs de cigares auront le choix entre des produits jamaïquains et diverses marques étrangères. Quant aux fumeurs de pipe, s'ils tiennent spécialement à leur tabac, ils auront avantage à en emporter dans leurs bagages.

Fumer est interdit dans les théâtres, les banques, les bureaux de poste et les autobus.

C

CONDUIRE A LA JAMAÏQUE. Le permis de conduire délivré dans votre pays d'origine reste valide à la Jamaïque. Si, prévoyant un long séjour dans l'île, vous désirez y amener votre voiture, il vous faudra obtenir l'autorisation du bureau de l'Administration du commerce *(Trade Administrator's Office)*, ce qui peut demander une à deux semaines. Vous devrez ensuite verser une caution, que vous récupérerez à votre départ. Vous pourrez circuler pendant six mois sans payer de droits de douane. Le véhicule ne pourra être vendu durant ce laps de temps.

Conditions de circulation. N'oubliez pas de rouler à *gauche*. Les signaux routiers sont généralement ceux d'usage international. Le port de la ceinture de sécurité est recommandé, mais pas obligatoire. Les vitesses limites sont fixées à 50 km/h (30 m.p.h.) en ville et dans les zones construites et à 80 km/h (50 m.p.h.) partout ailleurs (attention aux contrôles radar). Il est préférable de rouler à une allure modérée en toutes circonstances, particulièrement aux abords des villages et des petites villes. Ne vous laissez pas surprendre par les conducteurs locaux souvent téméraires ni par les nuages de poussière soulevés par les autocars et les camions.

Si vous souhaitez vous écarter des voies de communication principales, un coup de téléphone au ministère du Tourisme vous donnera un aperçu de l'état des routes – sage précaution après une forte pluie. Dans tous les cas, attendez-vous à rencontrer des nids de poules. De nuit, vous ne devez klaxonner que si cela se révèle vraiment nécessaire.

Stationnement. Il existe des parkings un peu partout. Ne laissez pas d'objets de valeur dans votre voiture et verrouillez celle-ci.

Mesures de capacité

Mesures de distance

Distances. Le tableau suivant vous aidera à organiser vos excursions. Les distances entre ces principaux centres d'intérêt sont données à la fois en *miles* (caractères romains) et en kilomètres (caractères italiques). Conseil de prudence: quand un Jamaïcain vous dit que quelque chose est «juste au coin», ça peut tout aussi bien être à un ou deux kilomètres!

	Kingston	Mandeville	Montego Bay	Negril	Ocho Rios	Port Antonio
Kingston		61 *98*	119 *190*	151 *242*	55 *88*	61 *98*
Mandeville	61 *98*		71 *114*	90 *144*	69 *110*	117 *187*
Montego Bay	119 *190*	71 *114*		51 *82*	64 *102*	132 *211*
Negril	151 *242*	90 *144*	51 *82*		116 *186*	182 *291*
Ocho Rios	55 *88*	69 *110*	64 *102*	116 *186*		68 *109*
Port Antonio	61 *98*	117 *187*	132 *211*	182 *291*	68 *109*	

permis de conduire (international)	**(International) Driving Licence**
permis de circulation du véhicule	**car registration papers**
carte verte	**green card**
Sommes-nous sur la route de...?	**Are we on the right road for...?**
Le plein, s.v.p.	**Full tank, please.**
Veuillez vérifier l'huile/	**Check the oil/**
les pneus/la batterie, s.v.p.	**tyres/battery, please.**
Ma voiture est en panne.	**I've had a breakdown.**
Il y a eu un accident.	**There's been an accident.**

COURANT ÉLECTRIQUE. La tension habituelle est de 110–120 volts, 50 périodes, mais certains hôtels peuvent être alimentés par du 220 volts. Consultez les instructions propres à votre hôtel avant de brancher votre prise et, si nécessaire, un transformateur vous sera fourni.

Quel voltage avez-vous?	**What's the current?**
un transformateur/une pile	**an adaptor/a battery**

113

C **CRIME.** Si les patrouilles de surveillance font preuve de vigilance dans les régions touristiques, certains secteurs de la Jamaïque n'en restent pas moins dangereux. Nous vous conseillons donc vivement de ne pas approcher des quartiers sud-ouest de Kingston qui englobent les bidonvilles explosifs de Jones Town, de Denham Town, de Trench Town et de Greenwich Town. Les Jamaïquains eux-mêmes ne vont pas s'y promener. Et ne flânez pas non plus sur les plages ou dans les rues après la tombée de la nuit.

A l'hôtel, fermez votre chambre à double tour et déposez vos objets de valeur dans le coffre-fort. Dans la rue, d'autre part, ne portez ni chaîne, ni bracelet en or. Voir aussi DROGUE.

D **DÉCALAGE HORAIRE.** La Jamaïque vit toute l'année à l'heure de la Côte est *(Eastern Standard Time),* soit avec un décalage de cinq heures par rapport au temps moyen de Greenwich (GMT–5).

Quelle heure est-il? **What time is it?**

DEUX-ROUES. Nombre d'hôtels prêtent des bicyclettes à leurs clients. On peut louer des scooters, de 50 ou de 100 cm^3, dans la plupart des lieux de villégiature. Votre hôtel vous indiquera les agences de location. Un permis de conduire est exigé. Le port du casque est recommandé.

N'oubliez pas qu'ici on roule à *gauche*. Evitez de circuler de nuit.

DOUANE et FORMALITÉS D'ENTRÉE. Les ressortissants européens doivent être munis d'un passeport – et parfois d'un visa – pour entrer à la Jamaïque. Les Canadiens n'ont besoin que d'une preuve de leur nationalité sous la forme d'un certificat de naissance, d'une carte d'électeur ou d'un document établissant leur domicile légal, comportant au moins une photo à fin d'identification. Vous devrez également être en possession d'un billet de retour ou de transit et disposer de fonds suffisants. On vous demandera de remplir une fiche de touriste, sur la base de laquelle sera fixée la durée de votre séjour (de 14 jours à six mois).

Nota bene: les voyageurs (à l'exception des Canadiens) qui transitent par les Etats-Unis doivent être munis d'un visa pour ce pays.

Aucun vaccin n'est exigé, sauf si vous êtes originaire d'un pays ou si vous avez récemment séjourné dans un pays où sévissent certaines maladies graves (choléra, fièvre jaune, etc.).

Les formalités de douane sont réduites au minimum. Le tableau ci-après vous indique les articles hors-taxe que vous pouvez introduire à la Jamaïque et, au retour, dans votre pays.

Entrée à la (au, en)	Cigarettes	Cigares	Tabac	Alcool	Vin
Jamaïque	200	50	220 g	1,1 l	1,1 l
Canada	200 et	50 et	900 g	1,1 l et	1,1 l
Belgique France Suisse }	200 ou	50 ou	250 g	1 l et	2 l

Aucune arme de quelque sorte que ce soit ne peut être introduite à la Jamaïque.

Restrictions monétaires. La Jamaïque a une politique monétaire extérieure libéralisée.

Je n'ai rien à déclarer.	**I've nothing to declare.**
C'est pour mon usage personnel.	**It's for personal use.**

DROGUE *(drug).* La marihuana ou *ganja,* son nom local, est cultivée en grande quantité et son usage relève du folklore jamaïquain et de la religion rastafarienne. Malgré tout, marihuana et autres stupéfiants demeurent illicites aux yeux de la loi. Des revendeurs postés au bord de la route vous en proposeront probablement, vous risquez d'être arrêté, condamné et jeté en prison. Les champignons contenant de la psilocybine, consommés sous quelque forme que ce soit, provoquent des hallucinations.

ENFANTS. Certains hôtels disposent de salles de jeux, de bibliothèques, de spectacles cinématographiques et de menus adaptés ainsi que de nurses à demeure. Demandez la liste de ces établissements au ministère du Tourisme de la Jamaïque (voir sous OFFICES DU TOURISME).

Le réceptionnaire de votre hôtel vous trouvera toujours une garde d'enfants si vous le prévenez à l'avance. Vous êtes libre de préférer vous arranger personnellement avec une employée de l'hôtel.

Pouvez-vous nous trouver une garde d'enfants pour ce soir?	**Can you get us a baby-sitter for tonight?**

G **GUIDES.** Les organisations de circuits guidés sont implantées dans presque tous les hôtels. Toutes les visites proposées par les firmes agréées sont accompagnées. Si vous avez besoin d'un guide pour des excursions privées, renseignez-vous à la réception de votre hôtel ou adressez-vous au ministère du Tourisme. Beaucoup de chauffeurs de taxis sont également des guides compétents. Le réceptionnaire de votre hôtel saura vous recommander une personne qualifiée.

Nous aimerions un guide parlant français.	**We would like a French-speaking guide.**

H **HABILLEMENT.** Dans la journée, on se balade en maillot de bain ou en short – il est évidemment préférable de se vêtir davantage pour déambuler dans la rue. Un chapeau s'avère indispensable et vous pourrez vous en acheter un sur place. Pensez à emporter un châle ou un chandail en prévision d'un vent frais. En cas d'excursion en montagne, n'oubliez ni veste ou chandail ni solides chaussures de marche.

HORAIRES (pour les banques, voir ARGENT). Les heures d'ouverture correspondent dans l'ensemble aux indications ci-après, quoique certains établissements à clientèle touristique restent ouverts plus longtemps. Voir aussi JOURS FÉRIÉS.

Magasins. De 9 h ou 10 h à 16 h 30 ou 17 h, du lundi au samedi, avec une demi-journée de fermeture par semaine, variable suivant les endroits. A noter également que certains commerces, du moins dans les zones touristiques, ouvrent le dimanche.

Agences du ministère du Tourisme de la Jamaïque. De 8 h 30 à 16 h 30, du lundi au vendredi.

Bureaux. De 8 h 30 à 16 h 30, du lundi au vendredi; presque tous demeurent fermés le samedi.

J **JOURS FÉRIÉS**

1er janvier	*New Year's Day*	Jour de l'an
23 mai	*National Labour Day*	Fête du Travail
25 décembre	*Christmas Day*	Noël
26 décembre	*Boxing Day*	Lendemain de Noël (Saint-Etienne)

Si ces fêtes tombent un samedi ou un dimanche, les magasins et les bureaux ferment le lundi suivant.

Fêtes mobiles	*Ash Wednesday*	Mercredi des Cendres	**J**
	Good Friday	Vendredi saint	
	Easter Monday	Lundi de Pâques	
	Independence Day	Fête de l'Indépendance (premier lundi d'août)	
	National Heroes's Day	Fête des Héros nationaux (troisième lundi d'octobre)	

LANGUE. La langue officielle de la Jamaïque est l'anglais. Néanmoins, **L** la *véritable* langue maternelle des autochtones, c'est le créole. Expressif et coloré, cet idiome résulte d'un mélange de vocables africains, espagnols, indiens, chinois, français et hollandais, superposé à un substrat anglais.

Voici quelques exemples pour vous en donner une idée:

boonoonoonoos	agréable, charmant
nyam	manger
oonou	vous
talawah	fameux
irie	bon, agréable
bwarta	quelque chose en plus

Il y a un proverbe jamaïquain qui dit: *« Howdy and tenky no bruck no square »* («Comment ça va et merci n'écorchent pas la langue»). En d'autres termes: «Non seulement la politesse est une preuve d'éducation, mais elle ne fait de mal à personne».

Bonjour (matin)	**Good morning**
Bonjour (après-midi)	**Good afternoon**
Bonsoir	**Good evening**
Bonne nuit	**Good night**
Au revoir	**Good bye**
A bientôt	**See you later**
Excusez-moi	**Excuse me**
S'il vous plaît/Merci	**Please/Thank you**
Parlez-vous français?	**Do you speak French?**

LOCATION DE VOITURES *(car hire).* Voir aussi CONDUIRE A LA JAMAÏQUE. Les compagnies locales et internationales sont représentées dans les principaux centres – parfois dans l'enceinte des hôtels – ainsi que dans les deux aéroports internationaux. Si vous prévoyez un séjour pendant la saison (mi-décembre à mi-avril), faites réserver votre véhicule suffisamment à l'avance par l'intermédiaire de votre agence de voyages.

L Les conducteurs doivent être âgés d'au moins 21 ans et titulaires du permis de conduire depuis au moins un an. Le permis délivré dans votre pays est valable à la Jamaïque. Les conducteurs de moins de 25 ans sont tenus de déposer une caution pour satisfaire aux obligations d'assurance.

Les différences de tarifs et de conditions entre les sociétés sont minimes. Une taxe d'abandon est perçue si vous souhaitez restituer le véhicule à un autre endroit de l'île. Cartes de crédit et chèques de voyage sont acceptés.

Rappelez-vous qu'à la Jamaïque, on roule à *gauche*.

LOGEMENT. Les conditions en sont soumises à l'approbation des autorités et seuls les établissements figurant sur la liste officielle du ministère du Tourisme sont agréés. A la Jamaïque, un hôtel n'est considéré comme tel que lorsqu'il propose un minimum de dix chambres; sinon, il s'agit d'une auberge *(guest-house)*.

Hôtels. Les grands hôtels offrent toutes les commodités habituelles, y compris climatisation et piscine. Les établissements de moindre prestige, remplacent parfois l'air conditionné par un ventilateur.

Les prix sont évidemment plus élevés durant la saison touristique (de mi-décembre à mi-avril) et il est recommandé de réserver suffisamment à l'avance pendant cette période. Le reste de l'année, les tarifs peuvent subir jusqu'à 40% de réduction. Une taxe d'hébergement est perçue.

Voici les diverses options existantes:

AI = *All Inclusive* (repas et boissons, loisirs organisés et service compris. Pas de pourboire)
AP = *American Plan* (trois repas)
MAP = *Modified American Plan* (petit déjeuner et dîner)
CP = *Continental Plan* (petit déjeuner seulement)
EP = *European Plan* (aucun repas)

Villégiatures. Si vous préférez fuir les hôtels sans pour autant vous astreindre aux tâches ménagères, il vous est loisible de louer une villa avec domesticité (généralement une cuisinière et un domestique). La plupart des villas sont équipées d'une piscine. Ecrivez à:

Jamaica Association of Villas and Apartments (JAVA), Pineapple Place, Ocho Rios, tél. 974 25 08.

| une chambre à deux lits/à un lit | **a double/single room** |
| Quel est le prix pour une nuit? | **What's the rate per night?** |

OFFICES DU TOURISME. Le ministère du Tourisme de la Jamaïque entretient des agences dans un certain nombre de pays:

Canada	Mezzanine Level, 1110 Sherbrooke Street West, Montréal, Que. H3A 1G9, tél. (514) 849-6386/7
Pour l'Europe	**Paris:** Office du Tourisme de Jamaïque, Target International, 595 Avenue des Champs-Elysées, 75008 Paris, tél. (01) 45 61 90 58
	Francfort: Vogstrasse 50, 6000 Frankfurt/Main 1, tél. (069) 597 56 75
	Londres: 11 Gloucester Place, London W1H 3PH, tél. (071) 224 0505

A la Jamaïque, le ministère du Tourisme a son siège au Centre du Tourisme:

ICWI Building, 2 St Lucia Avenue, Kingston 5, tél. (809) 929-9200/19

Il possède des agences dans l'enceinte des aéroports de Kingston et de Montego Bay, ainsi que dans les villes suivantes:

Mandeville	21 Ward Avenue, tél. 962-1072
Montego Bay	Cornwall Beach, tél. 952-4425
Negril	Plaza de Negril, Negril P.O., tél. 957-4243
Ocho Rios	Ocean Village Shopping Centre, tél. 974-2570
Port Antonio	City Centre Plaza, tél. 993-3051

PHOTOGRAPHIE. Il est interdit de photographier près des installations militaires et des restrictions sont imposées dans les musées (mais vous y serez souvent autorisé si vous demandez la permission). Avant de prendre des gens en photo, la moindre des choses serait d'obtenir l'accord des intéressés: les uns accepteront, les autres réclameront de l'argent ou un cliché; d'autres encore refuseront tout net.

En raison de l'éclat du soleil et de la réverbération de la mer et du sable, un filtre est indispensable. Par précaution, à l'aéroport, au moment du départ, présentez vos films séparément aux contrôleurs, plutôt que de les exposer aux détecteurs à rayons X.

J'aimerais un film pour cet appareil.	**I'd like a film for this camera.**
film noir et blanc	**black and white film**
film couleurs/diapositives	**colour prints/colour slides**

P **POIDS et MESURES.** Si la Jamaïque, voici une vingtaine d'années, a adopté la décimalisation de sa monnaie, pour le reste, le système décimal se heurte à la force de l'habitude: les distances sont souvent encore exprimées et *yards* et en *miles,* les litres remplacent les *gallons,* les kilos remplacent les livres, les degrés Fahrenheit coexistent avec les degrés Celsius, etc. Voir aussi p. 112.

Température

Longueur

Poids

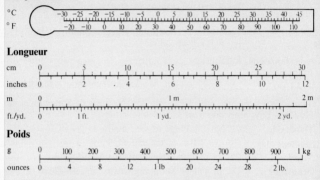

POLICE. Les policiers sont courtois et serviables. Les hommes portent un pantalon à pattes d'éléphant et les femmes une jupe, avec une casquette assortie ornée d'un galon rouge. Les policiers vêtus en kaki sont des inspecteurs. Les policiers en civil sont appelés «detectives». Des vigiles sont en faction dans tous les grands hôtels et aux alentours.

L'Office du tourisme de la Jamaïque comporte une section spéciale, dont les membres sont en service vingt-quatre heures sur vingt-quatre dans les régions touristiques. Tous font partie des forces de police. Porter assistance aux visiteurs et leur prodiguer conseils et informations entrent également dans leurs attributions.

POSTES et TÉLÉCOMMUNICATIONS

Courrier. Les services postaux sont généralement fiables. Il est préférable de vous faire adresser votre courrier «aux bons soins» (c/o) de votre
120 hôtel, plutôt que poste restante. Pour le courrier à destination de

l'étranger et les télégrammes expédiés dans l'île, il est plus simple – et parfaitement sûr – de passer par la réception de votre hôtel. Sinon, allez à la poste. Attention! Les lettres ou colis insuffisamment affranchis, n'étant pas expédiés par avion, risquent de mettre des mois pour parvenir à destination.

Télégrammes *(telegram)*. Votre hôtel se chargera de l'expédition des télégrammes dans l'île et à l'étranger. Vous pouvez aussi vous adresser à l'un des bureaux de Jamintel *(Jamaica International Telecommunications Ltd.)* suivants:

15 North Street, Kingston, tél. 922-6330
36 Fort Street, Montego Bay, tél. 952-4400

Cet organisme assure aussi les services de télex et de fax internationaux.

Téléphone *(telephone)*. En Jamaïque, pour atteindre n'importe quel correspondant situé dans la même zone téléphonique que vous, il vous suffira de composer les sept chiffres de son numéro, tels qu'ils figurent dans l'annuaire. Si vous désirez obtenir un numéro relevant d'une autre zone, vous devez le faire précéder d'un zéro. Comme, d'autre part, l'île est connectée au système automatique international, vous obtiendrez directement le pays de votre choix. (Pour tout renseignement relatif au service international, appelez le 113.) A noter que les communications à destination de l'étranger sont grevées d'une surtaxe. Ajoutons qu'il est possible de téléphoner en PCV au Canada ainsi qu'en certains pays.

Dans la plupart des régions touristiques on trouve des cabines publiques de type «bulle plastique». On peut acheter des cartes de téléphone dans la plupart des pharmacies, des stations-services et des supermarchés.

POURBOIRES

Porteur, par bagage	J$10
Femme de chambre, par semaine	J$50 (facultatif)
Chasseur, par course	J$10–15
Garçon	10–15% (si non inclus)
Chauffeur de taxi	15%
Pompiste	J$5–10
Coiffeur (dames/messieurs)	10–15%

R **RADIO et TÉLÉVISION.** La Jamaïque dispose actuellement de sept stations de radio et d'une chaîne de télévision (en couleur). La Jamaica Broadcasting Corporation, organisme d'Etat, propose des émissions radiodiffusées et télévisées. La plupart des grands hôtels captent un choix de programmes de télévision américains.

RÉCLAMATIONS. Commencez par vous plaindre auprès de la personne responsable de l'établissement. Si vous estimez que l'affaire en vaut la peine, adressez-vous au bureau du Service des Visiteurs *(Visitors' Service Bureau)*, attaché au ministère du Tourisme, installé dans les aéroports et dans les villégiatures. Vos suggestions en vue d'une amélioration seront également les bienvenues.

RENCONTRES. La plupart des Jamaïquains se montrent naturellement courtois et spontanés. Et ils prennent le temps de vivre; il est inutile de les bousculer: votre impatience ne pourrait tourner qu'à votre désavantage.

Le *Meet the People Programme* est une heureuse initiative, due au ministère du Tourisme de la Jamaïque, qui vous donnera l'occasion de rencontrer des insulaires partageant vos goûts. Plus de 700 familles participent actuellement à ce programme. Les petites associations culturelles ou sportives en visite peuvent parfois être mises en contact avec les organismes similaires de l'île.

Et si vous avez décidé de vous marier sous les tropiques, rien de plus qu'un séjour de 24 heures dans l'île et une autorisation du ministère de la Justice de Kingston n'est requis pour nouer ces liens. Si l'envie vous prend d'assortir votre voile de mariée à un bikini et d'être unis dans la mer, c'est également faisable.

Un mot au sujet du vocabulaire: nous sommes tous les indigènes d'un pays quelconque, mais personne n'aime s'entendre traiter d'«indigène». Les Jamaïquains non plus; ils sont des «Jamaïquains».

REPRÉSENTATIONS DIPLOMATIQUES

Canada	(High Commission), Royal Bank (Jamaica) Ltd. Building, 30–36 Knutsford Boulevard, Kingston 5, tél. 926-1500 ou 926-1701
Belgique	(Chancellery), Oxford House, 6 Oxford Road, Kingston 5, tél. 926-6589
France	(Embassy), 13, Hillcrest Avenue, Kingston 6, tél. 927-9811
Suisse	(General consulate), 105 Harbour Street, Kingston, tél. 922-3347

SANTÉ et SÉCURITÉ. Pour vous sentir tout à fait tranquille, souscrivez une assurance spéciale auprès de votre agent d'assurance ou de votre agence de voyages habituelle, afin de couvrir les risques de maladie et d'accident pendant vos vacances.

Tous les grands hôtels ont un médecin sous la main et beaucoup emploient une infirmière diplômée capable de soigner les maux mineurs. Les conditions d'hygiène sont excellentes dans les régions touristiques et le service de santé demeure vigilant.

Les troubles digestifs résultent souvent des divers changements qu'entraîne un voyage à l'étranger : nourriture et taux de minéralisation de l'eau inaccoutumés, rupture du cycle habituel de 24 heures (décalage horaire), tension nerveuse et excès de table. Pour commencer, n'abusez pas des produits exotiques – ni du rhum. Et prévoyez, dans votre trousse de premiers soins, des comprimés contre la diarrhée.

Sous un climat tropical comme l'est celui de la Jamaïque, les visages pâles ne sont que trop sujets aux coups de soleil et à leurs effets douloureux qui s'entendent à gâcher les vacances. Précautions élémentaires : achetez une bonne huile solaire, portez un chapeau à larges bords et de bonnes lunettes de soleil ; quant aux bains de soleil, ne forcez pas la dose les premiers jours. N'oubliez pas qu'à cette latitude, on bronze vite, même à l'ombre.

Les mangoustes ont exterminé les serpents (il n'en reste pratiquement pas en dehors des plantations). En général, les moustiques ne sont pas gênants. Il arrive pourtant, surtout au crépuscule, que les plages attirent des cousins, qui sont capables de vous piquer d'une façon insupportable (si vous n'usez pas d'un insecticide). Les nageurs devront se méfier des oursins. S'il vous arrive de marcher sur l'un d'eux, le meilleur remède consiste à appliquer immédiatement sur la plaie du jus de citron, vert ou jaune. Ainsi calcifiés, les piquants s'extraient sans douleur. Le corail, coupant comme le fil d'un rasoir, peut vous percer la peau en un clin d'œil ; aussi portez des tennis ou des palmes pour faire de la plongée. Soignez les coupures provoquées par le corail comme toute autre blessure, c'est-à-dire à l'aide d'un antiseptique ; puis remettez-vous-en aux vertus cicatrisantes de l'air marin.

Le bon sens commande de ne jamais nager seul, et il est également préférable de ne pas partir seul en excursion.

un médecin	**a doctor**
un dentiste	**a dentist**
une ambulance	**an ambulance**
l'hôpital	**hospital**
une indigestion	**an upset stomach**
de la fièvre	**a fever**

S **SERVICES RELIGIEUX.** La liberté de culte est garantie par la Constitution jamaïcaine. Les congrégations chrétiennes, qui sont en majorité, comprennent anglicans, baptistes, méthodistes, catholiques romains, unitariens (presbytériens et congrégationalistes). Il existe également des communautés juive, hindoue, musulmane et bahaï. Reportez-vous aux journaux locaux pour connaître les lieux et heures des offices. Le culte rastafarien a pris naissance à la Jamaïque.

STATIONS DE VILLÉGIATURE. Voici un rapide aperçu des principaux complexes touristiques du pays:

Negril, situé à la pointe occidentale de l'île, est l'endroit en vogue qu'affectionnent les jeunes.

A **Montego Bay,** dans le Nord-Ouest, tout a été prévu pour le plaisir des viveurs et des noctambules.

Ocho Rios, au centre du littoral septentrional, est une excellente station parfaitement équipée, où presque chacun trouvera quelque chose à son goût.

Occupant un magnifique site naturel à l'extrémité orientale de l'île, **Port Antonio** est un coin relativement préservé, destiné aux visiteurs recherchant moins l'agitation que la tranquillité.

Dans l'intérieur, **Mandeville,** située à près de 600 m d'altitude, attirera ceux qui préfèrent un climat tempéré.

T **TRANSPORTS** (voir aussi LOCATION DE VOITURES)

Taxis. Les taxis en Jamaïque ne sont pas équipés de compteur. Il vaut mieux demander à votre hôtel d'appeler un taxi à votre place ou de fixer d'avance le prix de la course avec le chauffeur. Des taxis et des bus sont spécialement au service du tourisme: membres de la JUTA, ils mènent leurs passagers d'un point à un autre moyennant un tarif déterminé.
Entre minuit et 5 heures du matin, une surtaxe est appliquée aussi bien sur le tarif kilométrique que sur le tarif forfaitaire. Il est d'usage de donner un pourboire au chauffeur (voir POURBOIRES).

Autobus. En ville comme à la campagne, les autobus sont plutôt rares et généralement bondés.

Limousines. Moins onéreux que le taxi, le transport en limousine entre
124 l'aéroport et l'hôtel est souvent inclus dans un forfait.

Trains. A l'heure actuelle, seuls les trains de marchandises empruntent le réseau ferroviaire jamaïquain. On pouvait il y a encore peu visiter l'île à bord de trains pittoresques. Consultez l'office du tourisme pour savoir si ces services ont été rétablis.

Services aériens locaux. La compagnie Trans Jamaican Airlines assure des vols quotidiens entre Kingston, Port Antonio, Ocho Rios, Montego Bay, Negril et Mandeville. L'aéroport intérieur de Kingston porte le nom de Tinson Pen.

Les taxis aériens desservent de nombreux autres points de l'île.

Vous pouvez aussi visiter l'île en hélicoptère à partir de la côte nord.

Services aériens régionaux. Les appareils des compagnies intercontinentales et régionales reliant les îles vous déposeront non seulement à Haïti et aux îles Caïmans, mais également dans presque tous les autres coins des Antilles. N'oubliez pas de confirmer votre vol 72 heures à l'avance.

Radeaux. Pour savourer un changement de rythme, embarquez sur un radeau de bambou en vue d'une descente romantique du Rio Grande, de la Great River ou de la Martha Brae. L'agence de votre hôtel se chargera de vous arranger cette sortie typiquement jamaïquaine. Le costume de bain n'est pas nécessaire, sauf si vous désirez vous baigner, mais vos pieds seront mouillés; évitez donc de porter des chaussettes ou des bas.

URGENCES *(emergency).* Suivant le cas, reportez-vous à différentes rubriques de la présente section (REPRÉSENTATIONS DIPLOMATIQUES, SANTÉ ET SÉCURITÉ, etc.). Vous pouvez vous fier au personnel hôtelier pour les premiers secours.

Numéros de téléphone, valables pour l'ensemble de l'île, à composer en cas d'urgence:

Police	119
Ambulance	110
Pompiers	110

Attention !	**Careful!**
Au feu !	**Fire!**
Au secours !	**Help!**
Au voleur !	**Stop thief!**
Police !	**Police!**

Index

Les numéros suivis d'un astérisque (*) renvoient à une carte.